普通高等院校船舶与海洋工程"十三五"规划教材

大型船舶波浪诱导振动及疲劳强度分析

韩凤磊　姚竞争　汪春辉　著

哈尔滨工程大学出版社
Harbin Engineering University Press

内 容 简 介

本书论述了大型船舶疲劳强度计算方法,主要由以下内容组成:大型船舶疲劳计算的发展现状,疲劳诱导的原因分析,计算疲劳强度时应该考虑的因素等。书中给出了波浪诱导振动计算的过程,包括波激振动和砰击引发的颤振导致的疲劳计算。其中针对波激振动和砰击计算给出了详细的流程,同时将这些导致疲劳受损的因素引入了疲劳计算中,计算了各个因素的疲劳贡献度。

本书可供船舶与海洋工程专业的研究生、教师或从事大型邮轮和集装箱船结构计算研究的相关科研人员参考。

图书在版编目(CIP)数据

大型船舶波浪诱导振动及疲劳强度分析/韩凤磊,姚竞争,汪春辉著. —哈尔滨:哈尔滨工程大学出版社,2019.3
　　ISBN 978 – 7 – 5661 – 2146 – 2

Ⅰ.①大…　Ⅱ.①韩…　②姚…　③汪…　Ⅲ.①波浪载荷—研究 ②船舶结构—疲劳强度—研究　Ⅳ.①U661.43

中国版本图书馆 CIP 数据核字(2018)第 268465 号

选题策划　张玮琪
责任编辑　张忠远　张如意
封面设计　刘长友

出版发行　哈尔滨工程大学出版社
社　　址　哈尔滨市南岗区南通大街 145 号
邮政编码　150001
发行电话　0451 – 82519328
传　　真　0451 – 82519699
经　　销　新华书店
印　　刷　北京中石油彩色印刷有限责任公司
开　　本　787mm × 1 092mm　1/16
印　　张　10.25
字　　数　264 千字
版　　次　2019 年 3 月第 1 版
印　　次　2019 年 3 月第 1 次印刷
定　　价　34.80 元
http://www.hrbeupress.com
E-mail:heupress@ hrbeu.edu.cn

前　言

　　近年来,为了提高大型船舶的经济性(如大型集装箱船或豪华邮轮),同时为了满足日益严格的节能环保要求,船舶的设计向着大型化的方向发展,船舶尺度的增大、大外飘设计和航速的要求使得水弹性效应变得更加突出。波激振动和颤振能够显著提高船舶结构疲劳损伤,但现阶段在计算结构载荷和疲劳强度时,很少计及波激振动和颤振的影响。本书以一艘大型集装箱船为例展开相关研究工作,对波激振动和颤振的计算流程做了详细的论述,提出了计算波激振动效应及其对疲劳损伤贡献的计算流程,总结了符合工程要求的实用方法。

　　船舶在波浪中航行时受到波浪载荷作用,船体作为弹性体也会有动态响应,耐波性响应采用三维 Rankine 源法和二维切片法来计算,时域计算时考虑非线性载荷作用和瞬时响应、非线性 Froude-Krylov 力和水弹性载荷的影响。绕射力和辐射力计算时保持线性,通过频域计算来确定。水弹性的计算则可以给出颤振的瞬态响应结果,波激振动的响应利用切片法来计算,计算时考虑迎浪航行时的对称响应和斜浪航行时的非对称响应。

　　考虑到计算效率和可靠性,砰击计算采用两种二维计算方法。第一种方法为扩展的瓦格纳方法,第二种方法为修正的 Logvinovich 方法。后一种方法计算效率更快,被更广泛地使用。在每一个时间步长内,砰击载荷的计算是建立在相对运动的基础上,所以在计算相对运动时要考虑到砰击作用力。

　　全船结构响应通过模态分析和耐波性计算来完成,在计算过程中要把水动力结果传递到有限元模型上,通过结构有限元模型来完成局部结构的分析,这样可以通过有限元模型直接提取节点应力来完成强度评估和疲劳计算。三维有限元计算自由振动时,模拟船体在水中的自由悬浮状态,各节点不加约束,边界条件为自由边界,在计算湿模态振动时要考虑附连水质量,船体附连水质量是在 MSC/NASTRAN 内通过定义有限元模型湿表面单元和吃水高度来自动实现计算,其理论是用 Helmholtz 方法求解流体运动的拉普拉斯公式。

　　疲劳计算分为两部分。第一部分是利用 ABS 规范进行简化计算,其中包含砰击计算、颤振计算和波激振动计算。在疲劳贡献率的计算方面,首先把船体作为刚体,在不考虑二节点振动的情况下,计算船体的弯矩及应力响应,以此计算疲劳损伤;其次则需要在考虑到二节点振动和颤振的情况下,计算总弯矩及应力的响应值,得到总疲劳损伤,最后计算疲劳损伤中由颤振和波激振动导致的疲劳增加。第二部分采用直接计算方法来完成,首先进行不考虑波激振动效应的疲劳损伤计算,通过谱分析和设计波法计算船舶结构的疲劳强度,此部分先进行波浪载荷计算,然后把波浪载荷直接加载到有限元模型上提取应力响应,计算时先计算单位规则波的响应值,得到应力传递函数,然后按照海浪谱的概率分布进行计算。设计波法是谱分析法的一种简化,只需要在每个浪向下定义一个控制载荷,将控制载荷达到最大值时的波幅和周期作为设计波来计算该浪向下的疲劳损伤,这种计算方法更加方便快捷。

在计算计及波激振动效应的疲劳损伤时,同样采用谱分析的原理,在每一个短期海况计算波激振动和颤振响应,得到载荷时间历程后,统计对疲劳损伤有作用的应力循环,利用雨流计数法得到载荷谱,与 $S-N$ 曲线结合计算累计损伤度,最后对比不考虑波激振动效应的疲劳计算结果,得到波激振动对船体总疲劳损伤的贡献率。

通过以上步骤可完成一艘超大型集装箱船的疲劳计算,从计算结果看,压载航行时由于其浅吃水导致疲劳损伤较为严重,波激振动和颤振又会使疲劳损伤进一步增加。根据北大西洋海浪谱计算结果,压载航行时会增加超过 40%,全球海况下会增加 30% 以上,合成计算结果也会超过 20%,而满载工况下一般会增加 13% 左右。所以对大型集装箱船来说,波浪诱导振动引起的疲劳损伤非常严重,在计算船体结构强度和疲劳时需要考虑该方面的因素。

本书中新发展的研究成果主要是作者在中央高校基本科研业务费专项资金项目(No. HEUCF180105)资助下取得的,作者在此深表谢意。另外,感谢胡安康、林一为本书提供的大型集装箱船船型参数和数据,同时也感谢胡安康在本书的理论研究工作中给予的指导和帮助。

著 者

2018 年 6 月

目　　录

第1章 绪 论

1.1 目的和意义

近年来,船舶设计逐渐向着大型化的方向发展,集装箱船和豪华游轮市场逐步走出低谷,新增的运力被巨大的市场需求所消化。新型"3E"船舶在规模经济(economy of scale)、能源效率(energy efficient)和环保绩效(environmentally improved)三个方面的卓越表现引起了各大船东的订购欲望,为了满足上述三方面的需求,大型环保集装箱船是目前国际航运市场最受关注的船型。

更加环保节能、更具经济性的船型开发最为直观的途径就是大型化设计,从近年来大型船舶的市场需求就可以看出该方面的趋势,如表1.1所示,2006年至今,集装箱船的箱容量已经从15 000TEU增长到了20 000TEU。

表1.1 集装箱船市场需求(2006—2015)

日期	船东	规模/TEU	船长/m	型宽/m	吃水/m	载重/TDW
2006 – 08	EMMA MAERSK	15 550	397.7	56.4	16	156 907
2012 – 11	CMA CGM MARCO POLO	16 020	396	53.6	16	187 625
2013 – 06	MAERSK MCKINNEY MOLLER	18 270	399	59	16	194 153
2014 – 11	CSCL GLOBE	19 500	400	58.6	16	195 000
2015 – 01	MSC TBN	18 400	400	58.6	16	195 000
2015 – 04	UASC TBN	18 800	400	58.6	16	195 000
2015 – 09	CMA CGM TBN	17 859	399	54	16	185 000

船舶尺度大型化虽然解决了经济性的要求,但是也为设计和建造带来了挑战。大型船舶在海上航行,由于其大尺度和细长体的特点,在长期波浪载荷的作用下使船体的疲劳损伤非常严重,波浪诱导振动又会对疲劳产生一个叠加的效果,所以在大型集装箱船设计阶段就应该考虑该方面的影响,除了常规的疲劳损伤计算外还应额外考虑波激振动及颤振的影响。

波浪诱导振动包含波激振动和砰击引起的颤振,这两种振动对大型船舶和快速性船舶来说都会带来较为严重的后果,对于大型集装箱船来说则会引起严重的疲劳损伤。船舶的大型化及高强度钢的大量使用导致船舶的固有振动频率降低,同时快速性的要求迫使船舶在波浪中航行时的遭遇频率增加,这些都导致船舶在航行时受到日益严重的波浪诱导振动的影响。

波激振动引起的疲劳问题受到关注始于20世纪60年代,大湖型散货船的疲劳问题使研究者开始关注波激振动现象,由于波激振动是当船舶固有振动频率与波浪遭遇频率接近时发生的一种共振响应,所以当大型船舶在中低海况下航行时较易发生波激振动现象,波激振动被认为是大湖型船舶的疲劳损伤的主要来源。高海况下,当船体遭到较为猛烈的砰击作用时,会发生非常严重的颤振,伴随着非线性波激振动谐振现象。对于大型集装箱船来说,大外飘和平底设计会使得在高海况下砰击非常严重,其引起的高频颤振对疲劳损伤也会有较大影响,同时非线性波激振动的存在也会使交变应力变化更加频繁,这些都导致了现阶段超大型集装箱的疲劳问题更加凸显。2007 年 MSC Napoli 船由颤振引起的极限载荷作用使得其机房附近出现了非常严重的结构失效问题,该方面通过实船监测得到了证实,在实船监测方面 Kim 等人提出了辨识颤振和波激振动的方法,这对未来颤振理论预报的证实起着关键的作用。

波浪诱导振动导致的二节点垂向弯矩的增加对船舶结构疲劳强度的影响最为明显,该成分对大型集装箱船的疲劳损伤的影响更加突出,Storhaug 和顾学康等人通过对一艘294 m大型矿砂船进行实船监测发现,在压载工况船舯甲板处的疲劳损伤受到波浪诱导振动的影响达到62% ,总疲劳损伤受波浪诱导影响也达到40%以上。2005 年,Moe 等通过增加船体剖面刚度的方法来降低甲板受到的应力影响,通过再次实船监测发现,压载工况疲劳受到波浪诱导振动影响仍然达到50% ,总疲劳贡献也达到40%左右,这样的结论可以证明,对于解决振动引起的疲劳问题,增强船体剖面刚度并不是有效的途径。同时 Storhaug 和 Moe 等又对不同航线的集装箱船进行了实船监测,发现波浪诱导振动对疲劳损伤的影响从40%到70% ,从而更加可靠地证实了波激振动和颤振对大型船舶疲劳损伤的影响不可忽视。

通过上面介绍的实际问题的分析,如何对波激振动和颤振进行理论预报,并在此基础上进行疲劳损伤分析是一个关键的技术问题,近年来船级社及各研究机构都对此给予了足够的重视,DNV、ABS 等都给出了该方面计算的补充规范。在理论预报方面,对波浪诱导振动的计算包含几部分内容:船舶波浪载荷计算、砰击计算、波激振动计算,其中还包括固有振动频率的计算,在此基础上可以进行疲劳短期预报和长期预报。本书着眼于该方面的研究,在计算波激振动引起的大型集装箱船疲劳损伤问题方面提出一套系统的解决方法,在规范计算和直接计算方面给出详细的计算流程,为以后超大型集装箱船的设计提供该方面的理论依据。

1.2 波浪载荷计算方法研究现状

船舶在波浪中航行,船体会受到波浪载荷的作用,船体梁的极限载荷计算一直是船舶结构设计的一个重点,波浪载荷的计算也是多年来最受关注的课题。该方面的研究最早开始于 19 世纪末期,船舶在波浪中航行时船体受到的弯矩和剪力的计算方法被提出,但是海洋中波浪一直处于不规则的变化中,其中包含各个浪向和各个波长的波浪的叠加,所以在计算时如何处理不规则波一直是一个难题,直到 20 世纪 50 年代,St. Denis 和 W. J. Pierson 等人采用叠加原理来计算船舶在不规则波中的运动,该方面的计算问题从此在理论上得到了解决。此后,切片法和细长体理论开始发展,普通切片法的建立使得该方面的计算得到了很好的数值拟合,随后很多学者在原始切片法的基础上进行了改进,提出了多种二维计算方法,该方面的理论更好地得到了充实。

切片理论虽然在计算上有着简单准确的优势,但是其计算的前提条件必须是低速航行的船舶。船舶航行时遭遇频率不能过高,否则计算结果就会有很大偏差,所以对于高速船的计算则需要在二维切片理论上加以改进,这样二维半的理论逐渐被重视,该理论仍然是在切片法的基础上计算,只是自由面条件采用三维形式来确定,该理论在耐波性的预报方面得到了推广,我国学者段文洋利用该方法,通过求解二维时域格林函数的方法对单体船和双体船进行运动响应预报得到了较为准确的计算结果。

现今三维的理论已经日趋成熟,求解三维水动力的方法主要有两种,一种仍然是格林函数法,另外一种是三维 Rankine 源汇分布法。格林函数法是通过在船体湿表面单元上布置点源来求解速度势,最后通过船体表面积分来得到流场速度势。Rankine 源方法是在物面和自由面上分布点源,该方法可以考虑到非定常势的影响,所以在计算时对于有航速的问题可以更好地预报。

1.3 砰击载荷计算方法研究现状

最早提出砰击计算理论的是 Von Karman 和 Wagner,这些理论主要是解决二维物体入水冲击问题,Wagner 提出的理论是针对平板入水冲击问题,利用理想不可压缩流体势流理论来求解,采用线性化的伯努利公式来计算压力,Howison 在其论文中详细讨论了 Wagner 理论的细节,并给出了适用于该理论的计算模型。Bisplinghoff 等在平板拟合的理论上给出了菱形拟合方法,Fabula 给出了椭圆拟合近似求解方法。在 Wagner 方法的基础上,Zhao 和 Faltinsen 进行了改进,在处理对称二维物体入水问题时不考虑流体分离,利用数值分析方法解决物面条件和非线性自由面条件,通过该方法分析了对称楔形体入水时斜升角从 $4° \sim 81°$ 的情况,计算过程中考虑了物面和自由面交界处的局部射流的影响。卢炽华利用边界积分方法,在非线性自由面条件下,计算了二维剖面入水冲击过程,并与 Zhao 和 Faltinsen 的计算结果做了对比,验证了该方法的准确性。为了更实际的计算要求,Zhao 和 Faltinsen 又通过边界元法提出了任意剖面物体的入水冲击问题的解决方案,计算时可以考虑发生流动分离和不发生流动分离的情况,砰击压力通过求解非线性伯努利公式来完成,该方法在计算速度势时能够准确地满足运动边界条件。随后 Faltinsen 又将该理论扩展到了斜升角较小的左右正交异性板的冲击问题,在自由面和物面相交处的隆起流体水平线上设定速度势为零,在时域计算时在每一个时间步长内采用格林第二公式求解。

由于原始瓦格纳方法会高估砰击压力,尤其是在斜升角较大的情况下,扩展的瓦格纳方法在砰击作用力的计算上有了很大的改进。Vorus 同样也采用平板假设和非线性动态自由面条件建立了计算模型,在计算砰击作用力时也利用了非线性伯努利公式。通过同样的解决途径,Korobkin 提出了修正的 Logvinovich 模型(Modified Logvinovich Model,MLM),在计算砰击压力时,物体边界条件利用原始瓦格纳模型速度势的泰勒展开项来计算,这种计算方法在数值计算时耗时较少,计算更快捷,在底部斜升角较大时该计算方法更加准确,Korobkin 和 Malenica 又将 MLM 方法扩展到了非对称二维物体入水冲击解法中,秦洪德给出了 MLM 方法用于横摇运动中非对称楔形体入水冲击问题的解决途径,Tassin 给出了形状随时间变化的楔形体出入水的计算方法。在三维砰击计算方面,Korobkin 在 Logvinovich 模型的基础上给出了三维计算方法,Tassin 等人又将该三维理论做了进一步的扩展。

现阶段砰击计算的研究得到了充实的扩展,很多学者提出了解决不同问题的计算方法,如入水冲击水弹性的问题;入水冲击的瞬时捕捉进液体与物面间的气泡问题;入水冲击空化问题;斜浪航行楔形物体入水冲击的流体分离研究;平板入水未形成气泡,而形成气液混合体时的冲击计算方法等。对于平底入水冲击问题,由于会有气体被捕捉进夹层中间,所以会产生气垫效应,这就会影响砰击压力及其作用时间,该方面的研究最早是庄生仑的模型试验研究和理论预报,在计算时利用气垫瞬时的绝热假设,给出压力随时间的变化规律,并通过系列实验给出小角度楔形体入水冲击的砰击作用变化规律,针对不同平板结构归纳出了简化计算公式。

在实验验证方面,Marintek 实验室对底部斜升角为 30°的楔形体做了入水冲击实验,在时域上记录冲击压力的值,发现流动分离前压力达到最大值,流动发生分离后在分离点压力快速衰减,这与非线性的计算结果吻合较好。在冲击发生的初始阶段,理论预报与实验值比较接近,但后期则有较大差异,所以通过实验的结果来对理论预报进行了三维的修正。ISSC 与多国研究机构合作,采用了不同计算方法来预报冲击速度与压力的关系,并与瓦格纳方法和庄生仑的理论及实验结果进行对比研究,给出了不同方法的计算流程,为砰击载荷的计算奠定了基础。

总体来说,砰击问题在二维计算方法上主要包括扩展的瓦格纳方法和修正的Logvinovich 方法,在二维楔形体入水冲击方面已经有了很好的计算效果,同时在解决任意剖面物体入水问题的数值计算方面也已经有了很好的解决方案;现阶段三维的砰击计算方法已经开始受到更多关注,该方面的计算还处于探索阶段,未来三维砰击计算问题将会是热点研究方向。

1.4 波激振动计算方法研究现状

波浪诱导引起的船体梁振动最早在 19 世纪末期提出,20 世纪中期,水弹性的概念被提出,该方面的理论早期被用在航天工程中,后来被用在船舶领域。虽然波激振动和颤振的理论被明确提出的时间比较晚,但是波激振动现象早在 20 世纪 60 年代就被监测到,所以波激振动的理论实际上是在监测到该现象后被系统地提出的,从此持续波浪诱发的振动导致的船舯处垂向弯矩和应力的增加被更广泛关注,除了因为船舶尺度变化导致的固有频率下降外,船舶阻尼降低也是非常重要的因素。类似于大湖型散货船这种细长体船舶,在船长超过 300 m 后波浪诱发的振动问题尤其显著。所以在 20 世纪 60 年代中期,一个新的概念被提出——波激振动,其定义是持续的波浪诱发的二节点垂向振动。总体来说,波激振动导致的激振力沿着整个船体梁都会存在。

船长超过 200 m 后,随着船长的增加,波激振动现象明显,在耐波性研究方面,当船舶只受到冲击波浪(impulsive wave)时诱发的二节点振动被称为颤振(whipping)。颤振的激振力只发生在船体的局部。颤振只发生在中高海况当船体运动很剧烈的时候,而冲击波浪载荷则是由船体和波浪之间存在的大的相对运动和相对速度所引起的。冲击波浪载荷和瞬时波浪载荷是由底部砰击、结构构件上的冲击压力、外飘砰击和甲板上浪(shipping green seas)引起的。

在足够高的船速和足够剧烈的海况下,各种尺度的船舶都能够承受颤振。总体来讲,商船在高海况下自行降低船速来避免颤振和大的冲击载荷引起的船体损伤,军船由于其船体强度较低,同时为了完成军事任务,不得不承受较高的颤振,所以颤振在军船耐波性研究中一直是一个值得讨论的问题。

Cleary 等人最早确定了大湖型船舶的疲劳损伤主要来源为波激振动,Belgova 最早通过理论计算和模型试验研究波激振动现象,这为后续波激振动的研究提供了途径。Goodman利用切片理论计算了波浪诱导引起的船体梁振动,Hoffman 以一艘大湖型散货船为目标船,通过理论计算和模型实验对其进行了研究。Achtarides 在弹性船舶的前提下计算了二节点振动,并通过试验研究进行了对比分析。Gunsteren 在其博士论文中系统地给出波激振动计算的理论基础,Slocum 通过非线性波激振动实验计算了二阶波激振动响应。

Jensen 等人研究了随机海况下的波激振动响应,首先在频域范围内采用非线性二次切片理论进行计算,考虑了由附加质量、水动力阻尼和水线面宽度变化引起的非线性效应,不考虑由砰击引起的瞬时颤振效应。分别计算了低频和高频段的峰值分布,分析了极限载荷和疲劳损伤。以一艘集装箱船为目标船进行计算,在稳态和非稳态海况计算船舯波浪诱导弯矩,分析波激振动的响应,长期分析中计及了高海况下航速的减小、不同的浪向和不同的海况等因素,结果显示在迎浪和艉斜浪航行时,在跨零周期较小的海况下,波激振动较为明显,长期分析中发现波激振动的峰值响应并不会对波浪弯矩造成太大影响。

随后 Jensen 等人又将该方法扩展到极限波浪载荷的计算上,并对船舯波浪弯矩进行了计算,在计算过程中,利用 Hermite 相似变换来处理弱非线性过程,在中级海况下利用极限波浪的方法计算,利用一阶可靠性方法(First Order Reliability Method,FORM)处理强非线性过程。通过该系列计算过程可以对海洋结构物的波浪载荷极限响应进行有效计算,尤其是非线性效应的部分可以给出详细的计算结果。

Sarkar 等提出了弹性矩阵法来分析波激振动响应,计算中船体被当作弹性非均匀梁来处理,将船体分为 n 站,利用弹性矩阵法根据切片弹性变形建立 n 个公式,根据平衡条件建立另外两个公式,通过这 $n+2$ 个公式来求解 n 个剖面挠度和刚体运动的扭转和位移。利用刘易斯自由面修正法确定二维附加质量和阻尼系数。该方法适用于低频和高频范围的船体响应计算,计算过程较为简洁,效率较高。

顾学康等人通过实验和理论研究了高阶非线性波浪弯矩成分对波激振动的影响;Tongeren 采用三维 Rankine 源法进行了线性和非线性时域计算,在此基础上对波激振动进行了分析;Park 等人对集装箱船和矿砂船进行了波激振动预报,在计算局部应力时采用变截面的 Timoshenko 梁来模拟,利用模态叠加法来计算应力分布,其计算结果显示波激振动对北大西洋航行的商船影响较大。

Storhaug 在其博士论文中详细讨论了全船波浪诱导振动原理,也对由波激振动和颤振引起的二节点垂向振动对疲劳强度的影响进行了计算,通过理论分析和实船监测可以得出如下一些结论:颤振对于细长体大外飘的船舶影响较大,对该类船舶也会造成较为严重的疲劳损伤;通过对一艘 300 m 长的铁矿船进行监测和理论计算,发现在压载工况下的振动会更加明显,迎浪会比随浪更加明显,在北大西洋海况下船舯甲板的疲劳损伤有 44% 来源于波激振动和颤振。通过一个 4 段的船模实验得出如下结论:疲劳损伤会随着峰值周期的增加而减小,随着波高增加而增加;不同的艏部模型实验结果发现,球鼻艏的存在对疲劳损伤影响不大;航速的变化对由振动引起的疲劳会有较大的影响,所以根据不同的海况选择适应的航速是一个较为合理的避免振动的方法。

Drummen 在其博士论文中分析了非线性波浪载荷作用下的垂向弯矩响应和极限载荷,并给出了考虑水弹性效应的集装箱船疲劳极限强度的计算方法,以一艘 281 m 艏部大外飘设计的集装箱船为例进行了数值计算和分段模型实验,利用切片法计算了非线性水弹性效应,计算结果显示,以 20 年为生命周期,并在其中 2/3 的时间里迎浪航行时,波激振动和颤振对总的疲劳损伤的贡献达到 40%,迎浪航行砰击作用引起的垂向弯矩变化可以达到 35%,最后通过模型实验证实了该计算方法的可靠性,但是非线性水弹性的影响被过高估计了,分析其原因可能是利用切片法过高估计了艏部的垂向作用力导致的。

Wu 等人通过一种混合方法来计算细长体船舶的弯矩和剪力,除了常规的计算刚体位移和模态外,还计及了低弹性模态的动态响应,同时不需要计算高阶的准静态响应。该混合方法可以大幅度缩短计算时间,根据不同航速和不同船体长宽比选择二维、二维半或者三维的计算程序,时域非线性响应是通过叠加线性响应和非线性修正的方法来完成的。计算结果显示,改变纵向船体刚度分布并不能对垂向水弹性载荷造成太大影响;阻尼上下浮动 50% 只能改变中垂极限水弹性载荷的 2% 左右,而对于中拱的影响会略大一些,所以模态阻尼的影响可以忽略,只需采用 0.01 来计算即可满足要求;极限水弹性效应对船体总刚度较为敏感,对于刚度分布并不敏感,总体来说当船体弹性更大时,水弹性效应会更明显。

1.5 主要研究工作

近年来,波激振动对大型集装箱船疲劳损伤的影响已经被广泛关注,但是现阶段计算结构载荷时很少引入波激振动的效应,本书的主要目的在于给出一套计算波激振动及砰击引起的颤振的系统方法,计算全船和局部结构的动态响应和结构强度,计算波激振动和颤振对船体结构疲劳损伤的影响,具体研究工作如下:

(1)对波激振动原理进行了系统论述,对能量谱理论做了详细的介绍,分析了船舶在波浪中航行的平稳随机过程数值模拟方法,其中包括:结构理想化假设、自由振动分析、模态分析方法、阻尼的计算、谐振时载荷响应计算和频域响应计算,通过系统地分析每一个计算细节给出计算波激振动的方法。

(2)利用直接计算方法计算大型集装箱船疲劳强度,讨论了疲劳评估原理,其中包括设计波法和谱分析方法,采用 PCL 语言加载波浪载荷,疲劳应力通过提取热点应力进行插值来完成,最后利用两种方法计算了一艘大型集装箱船的疲劳损伤,给出了船体不同位置的疲劳损伤结果。

(3)根据 ABS 规范讨论了简化计算方法,实船计算包括三部分:首先进行砰击载荷及强度评估,考虑到船体艏部的设计进行外飘砰击载荷和强度的评估,砰击压力系数的计算是在势流理论的基础上采用边界元法来实现的,这样砰击压力就可以加载到有限元模型上,从而进行下一步的结构评估;而后在此基础上进行颤振的计算;然后进行船体在波浪中运动的波激振动响应的评估,在这三部分计算完成后,采用三种方法计算颤振及波激振动对船体疲劳强度的影响。

(4)采用 Rankine 源分布法计算水动力系数,利用广义模态分析方法在时域求解颤振瞬态响应,把船体当作弹性体来处理,计算局部变形幅值。砰击计算部分分别采用扩展的瓦格纳方法和修正的 Logvinovich 方法完成,文中给出了两种方法的数值计算原理,在底部砰击计算时根据庄生仑的理论计及了局部气垫效应的影响,通过压力积分方法得到总的压力值。最后利用实船计算结果,进行了砰击作用下船体结构局部强度和总纵强度的评估。

(5)波激振动的计算是基于切片法的原理,利用 Frank 源汇分步法和线元法的基本原理进行频域计算,得到不同浪向和不同频率下的波浪载荷,用三维有限元模型进行模态分析并得到固有振动频率和振动模态,而后进行时域计算,考虑到船体弹性变形,得到计及波激振动和砰击引起的颤振效应的合成载荷。最后利用谱分析原理,采用雨流计数法得到应力谱,计算计及波激振动效应的疲劳损伤。

本书的创新点如下。

本书以大型集装箱船为例,对船舶结构疲劳强度进行研究,与以往的疲劳损伤评估方法不同,文中在常规疲劳强度评估的基础上考虑了波激振动效应的影响,给出了计及波激振动效应的大型集装箱船疲劳强度评估的系统流程,在研究过程中给出了如下创新性成果:

(1)根据大型集装箱船的结构设计特点,基于疲劳强度谱分析方法提出了计及波激振动和颤振效应的计算方法,分析了波激振动和颤振对疲劳强度的影响。

线性波激振动主要发生在中低海况下,是一种共振现象,非线性波激振动发生在高频振动的情况下,在砰击作用下除了会产生瞬时颤振外,同时也会伴随着非线性波激振动,此时很难区分波激振动和颤振。所以本书为了考虑到非线性波激振动的影响,给出了计算砰击引起的颤振的计算方法,在进行疲劳强度评估时考虑了波激振动和颤振的作用结果,从而能够更加精确地分析波激振动效应。

(2)对比程序直接计算与规范计算的结果差异,分析了结果差异的原因,并提出了改进的方法,并在理论上对低阻尼系统修正提出解决方案。

根据 ABS 规范进行了实船计算,计算结果显示,颤振对疲劳强度影响超过20%,而波激振动对疲劳损伤的影响达到了60%。而采用文中提出的直接计算方法,波激振动和颤振的影响在40%左右,所以规范计算明显高估了该效应,在规范计算时也包含强度计算,按照该流程则需要对某些局部结构板厚进行加强,这就会导致整船质量增加,从而降低经济效应和能源效应。通过对规范计算的分析,给出了修正建议,从而可以更加准确地进行疲劳和强度的评估。

(3)根据集装箱船首部结构特点,在进行砰击计算时考虑了气垫效应,提出了在压力积分计算时考虑气垫效应的数值计算方法,并根据计算结果进行了对比分析。

集装箱船首部砰击计算包含外飘砰击和底部砰击,砰击采用二维方法计算,当底部斜升角在3°~81°时砰击计算可以准确预报,但是当斜升角小于3°时,船体入水时会捕捉一些空气进入物面和液面之间,这样就会产生气垫效应,导致砰击压力减小,当底部斜升角大于3°时,气体逃逸速度较快,气垫效应可以忽略。

(4)利用对称振动和反对称振动公式中的主值坐标变化规律来分析波激振动产生的机理。

波激振动会发生在波长与船长相等的情况下,同时在遭遇频率与船体固有振动频率相等或者为其倍数时也会发生,但浪向的变化会对该机理产生影响,主值坐标则能更好地给出该方面的预报结果。

第2章　船舶波激振动原理

2.1　概　　述

波浪引起的船体振动主要发生在二节点垂向振动固有频率等于波浪遭遇频率或者是等于其倍数的情况下,早在1963年,Taylor K. V. 就对一艘47 000 t油船预报了二节点振动。

某些情况下,在船速和浪向角方面做一个小改动就可以避免振动,这对于波浪和船体之间的共振尤其明显。因而,其他共振现象,如船体和烟囱、船体和螺旋桨的共振等,在做一些小改动之后就可以排除。此外,二节点振动固有频率非常小,不会引起和烟囱及螺旋桨的共振。在20世纪60年代,很多学者针对超过200 m的大型船舶的二节点垂向振动做了很多研究。大型船舶二节点持续的振动受到更加频繁的关注。

随着船舶的大型化,二节点垂向固有振动频率降低,这就使得随着波浪波长和波浪能的增加,共振更加容易发生。而集装箱船随着其航速的增加也会产生同样的共振现象。

船舶尺度的增加对波浪引起的二节点垂向振动影响非常明显,超过300 m的大型船舶现阶段已经十分普遍,而这样二节点持续的振动也越来越被学者们关注。

尽管高阶垂向位移可能会很大,但是实际上由高阶垂向、水平和扭转弯矩引起的应力相对于二节点垂向振动应力来说很小,所以文中只考虑二节点垂向振动。

2.2　平稳随机过程中的海况和船体响应

1953年,St. Denis 和 Pierson 提出在不规则波下船体的运动分析也是有效的理论,这被模型试验和实船测试所证实。

通过这些研究可以认定,随机过程的理论可以应用到线性动态系统中,如船舶在海浪中的运动。

因而,首先要做如下假设:

(1)波浪表面为平稳的、各态历经性的高斯分布;

(2)波浪表面高度、波浪载荷、运动响应和船体振动响应为线性关系。

能量谱理论基础如下:

海浪表面和船体响应的能量谱在中等海况下可以用统计学来很好地描述,这样可以把能量的分布表示成频率的公式。海浪的测量显示每单位海浪表面的平均能量随时间变化很小。在各态历经性假设下,海浪和船体响应的能量谱表述如下。

根据 Rice 和高斯随机变量 $X(t)$ 可以表述成随机过程模型:

$$X(t) = \sum_{n=1}^{\infty} c_n \cos(\omega_n t + \varepsilon_n) \qquad (2-1)$$

式中　ω_n——频率取值为 $0 \sim +\infty$；

　　　ε_n——独立的随机变量，取值为 $0 \sim 2\pi$；

　　　c_n——无穷多个谐波叠加的振幅。

不失一般性 $X(t)$ 的均值为 0。

利用上式可以得到均方值，应用 $\cos\omega_n t$ 和 $\sin\omega_n t$ 的正交性，有

$$E[X^2(t)] = \frac{1}{2}\sum_{n=1}^{\infty}c_n^2 \tag{2-2}$$

这个值是 $X(t)$ 的能量均值，它独立于相位 ε_n。

能量均值 $\frac{1}{2}c_n^2$ 是关于频率 ω 的函数，其分布由能量谱密度函数 $S_X(\omega)$ 给出，也可以简单地称为谱密度或者能量谱：

$$S_X(\omega)\Delta\omega = \frac{1}{2}c_n^2 \tag{2-3}$$

关于 $X(t)$ 的连续的谱密度函数 $S_X(\omega)$ 可以被一个离散谱来替代，这个离散谱只包含 $\omega_1,\omega_2,\cdots,\omega_n$：

$$S_X(\omega) = \sum_{n=1}^{N}\frac{1}{2}c_n^2\delta(\omega-\omega_n) \tag{2-4}$$

式中，δ 为狄拉克函数。

应用中心极限理论，公式(2-1)可以转为均值为零的正态分布过程，其方差为

$$\sigma_X^2 = \int_0^{\infty}S_X(\omega)\mathrm{d}\omega \tag{2-5}$$

公式(2-3)中当 $n\to\infty$，$\Delta\omega\to0$ 时离散的谱转化为连续谱。

这样定义的谱密度函数可以由更加普遍的 $X(t)$ 的方差来表示：

$$\sigma_X^2 = \lim_{T\to\infty}\frac{1}{2T}\int_{-T}^{+T}X^2(t)\mathrm{d}t \tag{2-6}$$

进行傅里叶变换：

$$\int_{-\infty}^{+\infty}|X(t)|^2\mathrm{d}t = \frac{1}{2\pi}\int_{-\infty}^{+\infty}|F_X(\omega)|^2\mathrm{d}\omega \tag{2-7}$$

由 $X(t)$ 的傅里叶变换可知，其中

$$F_X(\omega) = \int_{-\infty}^{+\infty}X(t)\mathrm{e}^{-\mathrm{i}\omega t}\mathrm{d}t \tag{2-8}$$

或者

$$F_X(\omega) = \lim_{T\to\infty}\int_{-T}^{+T}X(t)\mathrm{e}^{-\mathrm{i}\omega t}\mathrm{d}t \tag{2-9}$$

把公式(2-9)和公式(2-7)代入公式(2-6)中，给出

$$\sigma_X^2 = \lim_{T\to\infty}\frac{1}{2T}\left[\frac{1}{2\pi}\int_{-\infty}^{+\infty}|F_X(\omega)|^2\mathrm{d}\omega\right] \tag{2-10}$$

由公式(2-5)，得

$$\sigma_X^2 = \frac{1}{2}\int_{-\infty}^{+\infty}S_X(\omega)\mathrm{d}\omega = \int_0^{\infty}S_X(\omega)\mathrm{d}\omega \tag{2-11}$$

这样就导出

$$S_X(\omega) = \lim_{T\to\infty}\frac{1}{2\pi}\frac{1}{T}|F_X(\omega)|^2 \tag{2-12}$$

能量谱密度函数可以由$X(t)$的各态历经过程中的自相关函数来表示：

$$R_X(\tau) = E[X(t)\Delta X(t+\tau)] \qquad (2-13)$$

或者

$$R_X(\tau) = \lim_{T\to\infty} \frac{1}{2T}\int_{-T}^{+T} X(t)X(t+\tau)\,\mathrm{d}t \qquad (2-14)$$

利用傅里叶变化关系可以推出谱密度函数和自相关函数的关系：

$$S_X(\omega) = \frac{1}{\pi}\int_{-\infty}^{+\infty} R_X(\tau)\mathrm{e}^{-\mathrm{i}\omega\tau}\,\mathrm{d}\tau \qquad (2-15)$$

$R_X(\tau)$是一个对称函数

$$R_X(\tau) = R_X(-\tau) \qquad (2-16)$$

能量谱可以写成自相关函数的傅里叶变换的形式：

$$S_X(\omega) = \frac{2}{\pi}\int_0^{+\infty} R_X(\tau)\mathrm{e}^{-\mathrm{i}\omega\tau}\,\mathrm{d}\tau \qquad (2-17)$$

或者

$$S_X(\omega) = \frac{2}{\pi}\int_0^{+\infty} R_X(\tau)\cos\omega\tau\,\mathrm{d}\tau \qquad (2-18)$$

同样，自相关函数也可以表示成

$$R_X(\tau) = \int_0^{+\infty} S_X(\omega)\cos\omega\tau\,\mathrm{d}\omega \qquad (2-19)$$

2.3　平稳随机载荷的结构响应

2.3.1　结构理想化

　　船体梁的动态响应可以通过广义坐标和离散坐标把船体结构理想化来分析。船体结构一般用有限元模型来模拟，船体的低阶振动可以通过一维离散化把船体当成一根梁来处理。分析船体尾部和甲板室的螺旋桨激振需要更加细致的二维或者三维的离散化模型。尽管艉部和甲板室的螺旋桨激振力是耦合的，但是艉部和甲板室的固有振动频率要比船体梁固有振动频率高很多，所以在分析船体波激振动时可以不予考虑。但是在分析艉部和甲板室振动的时候，这种耦合效应是必须要考虑的。

　　在分析低阶船体梁振动的时候，三维离散化模型并不能提高计算精度，所以可以简单地用一个 Timoshenko 梁来模拟船体梁低阶振动。

　　船体梁的结构动态响应分析非常复杂，因为沿着船长方向的质量分布是连续的，必须定义每一个点的位移和加速度，惯性力需要通过结构的位移来计算，所以质量分布对惯性力的计算影响很大。为了解决这个问题，必须把沿船长方向的各个点的位置认定为独立的变量从而建立偏微分公式来计算。

　　然而，如果梁的质量分布在一些散点上，如图 2.1 所示，分析的问题就会得到简化，因为质量力也可以假想为作用在这些点上，这种情况下位移和加速度也只需被定义到这些点上。结构被分段后，节点则是相互关联的点，点的质量分布在节点上。图 2.1 表示一根梁结构模型的分段方法，每一段的质量被认为是集中在各个节点上，而每一段的质量计算如图 2.1 所示。

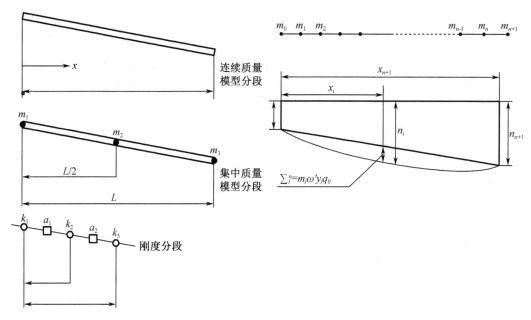

图 2.1　集中参数系统的分布

图 2.1 中：

m = 质量/分段长度；

m_i = 分段质量；

k_i——弯曲节点；

$$\int_0^{\frac{L}{2}} \frac{1}{KAG} \mathrm{d}x = q_1 + q_2$$

式中　KAG——剪切刚度；

　　　q_i——扭转节点。

在计算船体梁振动时，要考虑水动力附加质量，在分析船体自由振动和受迫振动时，附连水质量要加到结构质量上去。如果这些质量不是集中在点上，而是有一个转动惯量，那么就要把这个转动位移考虑进去。然而，这些扭转的位移会使得离散系统的自由度增倍，考虑到他们的影响相对于弯矩和剪力来说非常小，所以可以忽略其影响。由棱柱型梁转动惯量引起的低阶自由振动相对于弯矩则非常小。转动惯量的修正因子相对于细长型梁的低阶自由振动的影响非常小，但是在高阶振动中其数值会增加，随着梁的细长度的增加则会减小。而在实际的波激振动情况下，只与低阶船体梁振动有关。更进一步来说，只有具有较低固有频率的细长型船舶的低阶振动对波激振动比较敏感。

由以上分析，转动惯量引起的效应在计算船体低阶自由振动时可以忽略不计，对于计算波激振动也可以忽略。

集中质量理想化模型提供了一个在动态分析时所使用的简便的限制自由度的方法。但是可以用另外一种替代的方法来限制自由度，这个方法假定梁的挠曲变形可以用一系列位移的和来表达，这就构成了梁的位移坐标：

$$W(x) = \Phi_1(x)p_1 + \Phi_2(x)p_2$$

或者

$$W(x) = \sum_{i=1}^{N} \Phi_i(x) \, p_i \qquad (2-20)$$

式中，$\Phi_i(x)$ 是 n 个形变，其中梁可能弯曲，这被称为广义位移；p_i 定义了 $\Phi_i(x)$ 分布或者广义坐标的幅值；N 代表了理想化梁模型的自由度，计算精度取决于 N 的大小。

如果有约束的结构系统有 m 个坐标存在 r 个限制公式，那么存在 $n = m - r$ 个独立坐标，并且位移和受力可以被这 n 个坐标定义出来，n 是这个被称为广义坐标 $(q_1, q_2, \cdots, q_n)$ 的自由度。

2.3.2　自由振动分析

1. 集中参数系统

质量系统的弹性可以用一个影响因子来描述，影响因子 α_{ij} 定义为：由在点 j 处的单位力引起的点 i 处的挠度。运动状态公式可以简单地写成线性挠度的公式，这种方法可以被称为逆解法。把船体假想为一根长的梁，分散成 n 个质量 $m_i (i = 1, 2, \cdots, n)$，这根梁可以沿着一个平面内的垂直的两个坐标轴中的一个移动。移动的系统可以被定义在 x_i 点上的惯性力的系统所替代，其中，在点 x_i 处的挠度 W_i 由下式给出：

$$W_i = \sum_{j}^{n} m_j \frac{\mathrm{d}^2 w}{\mathrm{d}t^2} \alpha_{ij} \qquad (2-21)$$

这是一个 n 维线性二阶微分公式，根据振动理论，可以假定 m_i 进行了具有相同频率不同幅值的谐波运动。即

$$\frac{\mathrm{d}^2 w}{\mathrm{d}t^2} = -\omega^2 y_i \sin\omega t \qquad (2-22)$$

把公式（2-22）代入公式（2-21）得到一个同步公式：

$$\sum_{j=1}^{n} \left(m_j \, \alpha_{ij} \, y_j - \frac{y_i}{\omega^2} \right) = 0 \, (i = 1, 2, \cdots, n) \qquad (2-23)$$

公式（2-21）中，W_i 是质量 m_i 的横向位移。

由于附加质量与频率有关，所以可以把附加质量作为首次近似得到渐近值的迭代方法来解决这个问题。挠度影响系数对于约束梁来说不存在，但是可以在梁的两端加一个虚拟约束来定义这个挠度影响系数。利用这样定义的约束可以建立起点 i 和点 j 的计及弯矩、剪力、静水浮力 - 挠度的关系。这样，当各种受力都被考虑进来时公式（2-23）是有效的，公式可以写成

$$y_i = \sum_{j=1}^{n} m_j \, \omega^2 \, \alpha_{ij} \, y_j + \frac{x_{n+1} - x_i}{x_{n+1}} y_0 + \frac{x_i}{x_{n+1}} y_{n+1} \qquad (2-24)$$

如图 2.1 所示，由惯性力平衡条件来定义：

$$\sum_{j=0}^{n} m_j \, \omega^2 \, (x_{n+1} - x_j) \, y_j = 0 \qquad (2-25)$$

$$\sum_{j=1}^{n+1} m_j \, \omega^2 \, x_j \, y_j = 0 \qquad (2-26)$$

这样，把公式（2-25）和公式（2-26）的 n 个公式代入公式（2-24），若 W_j 决定系数为 0 就可以得到其非平凡解。

$y_{ri} = r$ 质量点 i 的 r 阶固有振动挠度标准化公式

$$\sum_{i=1}^{n} m_i y_{ri}^2 = 1 \qquad (2-27)$$

固有振动模态的一个重要性质是正交性：

$$\sum_{i=1}^{n} m_i y_{ri} y_{si} = 0 \qquad (2-28)$$

由于挠度的存在,计算固有频率时要考虑静水升力,与 Wereldsma 提出的在计算弹性变形时可以忽略水压力影响的观点相反。

考虑这些力的影响的方法是计算静水自由振动时水压力的大小,这时船体被水弹性支撑,这种支持力可以扩展到全船质量单元上去,利用公式(2-22)至公式(2-24)来计算。Bishop 提到单独计算干模态船体自由振动时,所受到的力即为包括计及水质量的水动力和升力。然而,静水自由振动包括波激振动和阻尼振动的基本信息,所以这就是固有振动方法,是计算复杂的波激振动的一个有效工具的原因。因而,计算真实的湿模态振动就比计算干模态振动更符合逻辑,因为波浪激振力受振动挠度的影响很小,可以忽略不计。静水自由振动和波浪激振力没有耦合作用,波激振动响应可以由自由振动的特征根来确定,这个特征根用来模拟纵向刚体运动模态,如垂荡和纵摇。

如果在分析自由振动时所有的水动力包括刚体诱导力都被考虑,那么最低阶的横向自由振动模态将会是平移和扭转运动模态。

2. 分布参数系统

与固有振动模态和固有频率有关的特征根可以用分布参数系统来确定,对于一个系统的广义坐标 $(q_1, q_2, \cdots, q_n)$ 和已知的质量和刚度矩阵 $\boldsymbol{m}$、$\boldsymbol{k}$,运动公式为

$$\boldsymbol{m}\ddot{\boldsymbol{q}} + \boldsymbol{k}\boldsymbol{q} = 0 \qquad (2-29)$$

因为

$$\ddot{q}_i = -\omega^2 q_i$$

这 n 个 ω^2 未知的代数公式是如何求解特征根的问题。

非平凡解给出了固有频率 ω、特征向量 $\boldsymbol{q}$ 及特征值 $1/\omega^2$,其代表了一个特有的固有振动模态。

对于一个 n 维自由系统,有 n 个特征根和特征向量。可以证明,特征向量满足正交关系：

$$\boldsymbol{q}_r^{\mathrm{T}} \boldsymbol{k} \boldsymbol{q}_s = 0$$
$$\boldsymbol{q}_r^{\mathrm{T}} \boldsymbol{m} \boldsymbol{q}_s = 0, \quad \omega_r \neq \omega_s \qquad (2-30)$$

如果满足公式(2-30),则这些特征值正交,广义质量矩阵是单位阵：

$$M_r = \boldsymbol{q}_r \boldsymbol{m} \boldsymbol{q}_r = 1 \qquad (2-31)$$

正交关系公式(2-30)说明特征向量不是动态耦合的。现在广义坐标 q 是静态非耦合的,可以转化为正常坐标 y,y 也是动态非耦合的,即符合线性变换

$$q = \boldsymbol{\gamma} y \qquad (2-32)$$

变换矩阵 $\boldsymbol{\gamma}$ 由系统特征向量组成：

$$\boldsymbol{\gamma}_i = X_i \boldsymbol{q}_i \qquad (2-33)$$

式中,X_i 定义为

$$M_r = X_r^2 \boldsymbol{q}_r^{\mathrm{T}} \boldsymbol{m} \boldsymbol{q}_r \qquad (2-34)$$

位移坐标表达式可以用正常坐标来表达：

$$W(x,t) = \sum_{i=1}^{n} \Phi_i(x) y_i(t) \qquad (2-35)$$

式中　$W(x,t)$——点 x 处在 t 时刻的横向挠度；

　　　$\Phi_i(x)$——i 阶固有振动位移。

从公式（2-30）和公式（2-31）可以推出固有振动阵型 $\Phi_r(x)$ 满足下面的正交条件：

$$\int_0^l m(x) \Phi_r(x) \Phi_s(x) = 0, \quad if\ r \neq s \qquad (2-36)$$

$$\int_0^l m(x) \Phi_r(x) \Phi_s(x) = M_r, \quad if\ r = s \qquad (2-37)$$

3. 耦合效应

船体梁垂向固有振动与水平和扭转振动不耦合,这些不耦合的振动模态对结构动态分析是一个特例。对于波激振动,只有低阶振动模态需要被考虑。

固有振动模态的耦合效应现在可以被限制在垂向低阶振动中,两种耦合效应需要被区分开来:结构耦合和水动力耦合。

由于固有振动模态的正交性,结构耦合效应理论上讲不存在。然而,不仅梁结构振动会发生耦合效应,一些局部结构和上层建筑也会发生耦合效应。

子结构振动可以和船体梁振动耦合。利用不同的理想化船体结构模型可以计算包含耦合效应的固有振动。一方面,子结构和船体梁耦合效应在计算自由振动引起的波激振动时,因为其影响较小可以被忽略。另一方面,船体梁低阶垂向振动模态对子结构固有振动的影响不能忽略。子结构振动对波浪诱导的船体梁垂向振动阻尼的影响不可忽略。

理论上低阶垂向振动的水动力耦合效应存在,因为在自由振动分析时附连水质量作为附加质量被考虑进来,而这个附加质量与每个固有振动的频率和模态有关。然而,实际上附加质量的振动随船体低阶垂向振动频率和模态阶数的变化较小。可以实现每一个固有振动频率确定不同的沿着船长方向的附加质量分布。

水动力振动诱导的升力对低阶垂向固有振动的耦合效应没有影响,因为这与频率和阵型没有关系。最后可以得出:对于计算波激振动,当只考虑船体梁垂向低阶振动时,固有振动模态是非耦合的。

2.3.3　模态分析方法

当计算固有振动模态时,由于模态的正交性,微分公式可以被解耦。那么具有 n 个自由度的 n 个联立的结构系统振动模态微分公式,可以被描述成 n 个独立的微分公式。

无论对于集中质量系统还是对于分布质量系统,由于线性黏性阻尼和分布外力的存在,梁振动模态公式是相同的,都是线性二阶微分公式。

对于集中参数系统,船体梁在质量点 X_i 处受到黏性阻尼和外力 Q_i 的 r 阶振动公式为

$$\ddot{\eta}_r + c_r \dot{\eta}_r + \omega_r^2 \eta_r = \sum_{i=0}^{n} Q_i y_{ri} \qquad (2-38)$$

η_r 是 r 阶振动响应参数,隐性表示为

$$W_i = \sum_{r=1}^{n} \eta_r y_{ri} \qquad (2-39)$$

式中,W_i 为第 i 个质量单元的瞬时位移;y_{ri} 为由公式（2-27）标准化后的在第 i 个质量单元

的 r 阶阵型位移来确定; c_r 为 r 阶振动阻尼系数,等于黏性阻尼系数除以质量点 i 处的质量:

$$c_r = c_{ri}/m_{ri} \tag{2-40}$$

黏性阻尼系数被认为是和质量分布成比例的。

对于分布参数模型 r 阶振动公式和公式(2 - 38)相似:

$$\ddot{\eta}_r + c_r \dot{\eta}_r + \omega_r^2 \eta_r = N_r/M_r \tag{2-41}$$

式中, M_r 是广义质量,由公式(2 - 37)给出。

N_r 是广义作用力,分布作用力的密度 $p(x,t)$ 在点 x 处 t 时刻的广义作用力可以写成

$$N_r = \int p(x,t) \, \varphi_r(x) \, \mathrm{d}x \tag{2-42}$$

这个公式的意义在于分布作用力等于广义作用力,如果作用力公式 $P(x,t)$ 中 x 和 t 是独立的,则

$$p(x,t) = p(x)f(t)P_O/L \tag{2-43}$$

式中, $p(x)$ 为作用力分布公式; $f(t)$ 是作用力关于时间 t 的公式; P_O/L 是单位长度上作用力积分幅值。

对于分离作用力公式, r 阶广义力

$$N_r = P_O \Gamma_r f(t) \tag{2-44}$$

$$\Gamma_r = 1/L \int P(x) \, \varphi_r(x) \, \mathrm{d}x \tag{2-45}$$

式中, Γ_r 被称为参与因子,是衡量 r 阶振动模态在总的广义载荷里所占份额。

把公式(2 - 44)代入公式(2 - 42)得到

$$\ddot{\eta}_r + c_r \dot{\eta}_r + \omega_r^2 \eta_r = f(t)P_O \Gamma_r/M_r \tag{2-46}$$

2.3.4　非比例阻尼

固有振动方法只能在阻尼和质量、刚度成比例的情况下应用,振动公式可以是非耦合的,见公式(2 - 41)。

一方面,在比例阻尼的情况下,所有的结构点都有相同的振动频率和相位。对于非比例阻尼,所有的点都具有相同的频率,但相位则不同。一个具有比例线性阻尼的系统在非耦合的状态下自由振动,其具有的阵型和非阻尼系统的固有振动阵型相同。这些自由振动振幅随时间呈指数衰减。

另一方面,非比例线黏性系统在非耦合模态下自由振动时,所有的点在同一频率下都有同一个指数阻尼模态,但是具有不同的相位。这些模态不像非阻尼系统那样,其具有非静态节点。

Hurty 和 Rubinstein 做了比例阻尼与非比例阻尼的对比。对于波激振动的分析,阻尼被认定为比例阻尼。这个假定是合理的,因为在低频情况下,阻尼基本上与质量分布是成比例的。这些结论是正确的,因为水动力阻尼的分布只要集中在船的尾部,因为艉部有较高的型深型吃水比。

尽管在持续的波激振动分析中并未发现 sweeping 现象,但是在船体梁瞬时振动中 sweeping 的影响还是存在的,如在发生砰击和颤振的情况下。

当处理这些瞬时响应和脉动载荷时,非比例阻尼造成的高阶振动和耦合效应可以通过求解耦合公式并利用理想的梁模型来解决。

对比公式(2-38)和公式(2-46)发现只有公式右侧的外力项不同,公式(2-46)对于集中参数系统也可以应用,广义质量 M_r、广义作用力 N_r 和参与因子 Γ_r 有如下关系:

$$M_r = \sum_{i=0}^{n} m_i y_{ri} y_{si}, \quad r = s \tag{2-47}$$

r 阶广义作用力 N_r 可以从作用力分布函数得到

$$N_r = \sum_{i=0}^{n} Q_i \Delta y_{ri} \tag{2-48}$$

如果 $Q_i(x_i,t)$ 中 x 和 t 是可分离的,那么

$$Q(x_i,t) = P_O P(x_i) f(t) \tag{2-49}$$

式中,P_O 是 $Q_i(x_i,t)$ 的峰值,$P(x_i)$ 是无量纲作用力分布函数,$f(t)$ 是时间函数。

这样参与因子为

$$\Gamma_r = \sum_{i=0}^{n} P(x_i) \Delta y_{ri} \tag{2-50}$$

公式(2-42)代表了系统 r 阶振动公式,由于外部作用力是用切片法计算,激振力是在船长纵向分块计算,集中参数系统对计算波激振动更加适用。

二节点垂向振动响应

$$\ddot{\eta}_2 + c_2 \dot{\eta}_2 + \omega_2^2 \eta_2 = N_2/M_2 \tag{2-51}$$

式中,N_2 和 M_2 由公式(2-44)、公式(2-47)至公式(2-49)给出。

2.3.5 谐振载荷响应

公式(2-46)可以通过拉普拉斯变换得到如下公式:

$$\eta_r(t) = P_O \Gamma_r / M_r \int_0^T e^{-\frac{1}{2}c_r(t-\lambda)} \sin[\omega_{dr}(t-\lambda)] f(\lambda) / \omega_{dr} d\lambda + B_1 + B_2 \tag{2-52}$$

式中

$$B_1 = e^{-\frac{1}{2}c_r t} [\sin(\omega_{dr}t) c_r/2\omega_{dr} + \cos(\omega_{dr}t)] \eta_r$$

$$B_2 = e^{-\frac{1}{2}c_r t} \sin(\omega_{dr}t) \Delta \dot{\eta}_r(0)/\omega_{dr} \tag{2-53}$$

且 ω_{dr} 为阻尼固有频率

$$\omega_{dr} = \omega_r^2 - \frac{1}{4}c_r^2 \tag{2-54}$$

λ 为虚变量。

零初始条件由 $\eta_r(0) = \dot{\eta}_r(0) = 0$ 代入公式(2-52)得到

$$\eta_r(t) = \frac{P_O \Gamma_r}{M_r} \int_0^T H_r(t-\lambda) f(\lambda) d\lambda \tag{2-55}$$

其中

$$H_r(t-\lambda) = \frac{1}{\omega_{dr}} e^{\frac{1}{2}c_r(t-\lambda)} \sin \omega_{dr}(t-\lambda) \tag{2-56}$$

可以看出 $H_r(t-\lambda)$ 是冲量响应公式,其等于时域内单位冲量响应。因此,公式(2-55)是给出了公式(2-46)定义的 r 阶系统总响应 $\eta_r(t)$ 的卷积积分,公式(2-53)给出了初始条件的影响。

简谐波激振响应通过如下替代后得到:

将 $f(t) = \cos(\omega t)$ 或者 $f(\lambda) = \cos(\omega\lambda)$ 代入公式 $(2-52)$ 中,经过处理得

$$\eta_r = \frac{1}{2}\frac{P_0\Gamma_r}{M_r}\frac{1}{\omega_{dr}}\left[\frac{\omega_{dr}+\omega}{\frac{1}{4}c_r^2+(\omega_{dr}+\omega)^2}\cos\omega t + \frac{\omega_{dr}-\omega}{\frac{1}{4}c_r^2+(\omega_{dr}-\omega)^2}\cos\omega t - \right.$$

$$\left. \frac{\frac{1}{2}c_r}{\frac{1}{4}c_r^2+(\omega_{dr}+\omega)^2}\sin\omega t + \frac{\frac{1}{2}c_r}{\frac{1}{4}c_r^2+(\omega_{dr}-\omega)^2}\sin\omega t \right] + \quad (稳态条件)$$

$$\frac{1}{2}\frac{P_0\Gamma_r}{M_r}\frac{e^{-\frac{1}{2}c_r t}}{\omega_{dr}}\left[-\frac{\frac{1}{2}c_r\sin\omega_{dr}t+(\omega_{dr}+\omega)\cos\omega_{dr}t}{\frac{1}{4}c_r^2+(\omega_{dr}+\omega)^2} - \right.$$

$$\left. \frac{\frac{1}{2}c_r\sin\omega_{dr}t+(\omega_{dr}-\omega)\cos\omega_{dr}t}{\frac{1}{4}c_r^2+(\omega_{dr}-\omega)^2} \right] + \quad (瞬态条件)$$

$$\frac{1}{2}\frac{P_0\Gamma_r}{M_r}\frac{e^{-\frac{1}{2}c_r t}}{\omega_{dr}}(B_3-B_4)+B_1+B_2 \quad (初始条件) \qquad (2-57)$$

对于零初始条件 $\eta_r(0) = \dot{\eta}_r(0) = 0$,在经过稳态条件、瞬态条件,余弦激振 r 阶响应的重新整理后得

$$\eta_r(t) = \frac{P_0\Gamma_r}{M_r}R_r\cos(\omega t+\psi_r) - \frac{P_0\Gamma_r}{M_r}e^{-\frac{1}{2}c_r t}\frac{\omega_r}{\omega_{dr}}R_r\cos(\omega_{dr}t+\psi_{dr}) \qquad (2-58)$$

其中

$$R_r = \frac{1}{\sqrt{(\omega_r^2-\omega^2)^2+(c_r\omega)^2}} \qquad (2-59)$$

$$\psi_r = \arctan\left(\frac{-c_r\omega}{\omega_r^2-\omega^2}\right) \qquad (2-60)$$

$$\psi_{dr} = \arctan\left[\frac{-\frac{1}{2}c_r(\omega_r^2+\omega^2)}{\omega_{dr}(\omega_r^2-\omega^2)}\right] \qquad (2-61)$$

公式 $(2-58)$ 右边第一项代表了响应的稳态部分,其余部分代表了瞬态部分。右边第二项是在初始零条件下简谐波余弦激振瞬态部分。式中,R_r 有物理意义,它代表了放大因子,这个放大因子给出了 η_r 在由动态加载所导致的 r 阶固有振动模态下最大振幅与在相同的静态加载条件下的值之比

$$R_r = \frac{\eta_r(t)_{\max}}{\eta_r(t)_{\text{static}}}$$

给出稳态响应

$$\eta_r(t) = \frac{P_0\Gamma_r}{M_r}R_r\cos(\omega t+\psi_r) \qquad (2-62)$$

公式 $(2-62)$ 可以写成复数频率的形式,$H(\omega)$ 代表线性系统的输出/输入的比例

$$f(t) = e^{i\omega t}$$

代入公式 $(2-46)$ 得到输出结果

$$\eta_r(t) = \frac{P_0 \Gamma_r}{M_r} \frac{1}{(\omega_r^2 - \omega^2 + \mathrm{i}c_r\omega)} f(t) \tag{2-63}$$

因而

$$H_r(\omega) = \frac{1}{\omega_r^2 - \omega^2 + \mathrm{i}c_r\omega} \tag{2-64}$$

分离振幅和相位

$$H_r(\omega) = |H_r(\omega)| \mathrm{e}^{\mathrm{i}\psi_r} \tag{2-65}$$

给出关系式

$$R_r = |H_r(\omega)|$$

频率响应不仅对简谐波激振的计算是有效的,当瞬态影响可以忽略并且系统是线性的时候对于随机激振的确定也是有效的。

2.3.6　频率响应方法

利用频率响应方法的结果确定单自由度线性系统的方差,如 r 阶振动。

根据公式(2-11)和公式(2-12), $\eta_r(t)$ 的方差如下:

$$\sigma_{\eta r}^2 = \int_0^\infty S_{\eta r}(\omega)\,\mathrm{d}\omega \tag{2-66}$$

$$S_{\eta r}(\omega) = \lim_{T\to\infty} \frac{1}{2\pi} \frac{1}{T} |F_{\eta r}(\omega)|^2 \tag{2-67}$$

$$F_{\eta r}(\omega) = \int_{-\infty}^{+\infty} \eta_r(t)\mathrm{e}^{-\mathrm{i}\omega t}\mathrm{d}t \tag{2-68}$$

给出单自由度线性系统 $\eta_r(t)$ 的方差,由公式(2-46),对于随机各态历经激振,有

$$E[\eta_r^2(t)] = \frac{1}{2\pi} \frac{P_0 \Gamma_r}{M_r} \int_0^\infty |H_r(\omega)|^2 S_f(\omega)\,\mathrm{d}\omega \tag{2-69}$$

式中　$H_r(\omega)$——复数形式频响函数;

$S_f(\omega)$——激振力 $f(t)$ 的谱密度公式,由公式(2-13)给出。

一个比较简便的近似方法是对于轻阻尼系统,把能量谱密度写成离散的频率 ω_r 的形式。对于轻阻尼系统 $C_r \ll 1$,放大因子急剧达到峰值,激振力能量谱密度仅对 ω_r 附近窄带的响应有影响。因而 $S_f(\omega)$ 在这个带宽被认为是固定值:

$$S_f(\omega) = S_f(\omega_r) \tag{2-70}$$

把公式(2-70)代入公式(2-69):

$$E[\eta_r^2(t)] = \frac{1}{2\pi} \frac{P_0 \Gamma_r}{M_r} S_f(\omega_r) \int_0^\infty |H_r(\omega)|^2\mathrm{d}\omega \tag{2-71}$$

对于轻阻尼单自由度系统,见公式(2-46),可以得出如下性质:

半功率点带宽

$$B_r = C_r \tag{2-72}$$

半功率点带宽 B_r 定义为

$$B_r = |\omega_1 - \omega_2| \tag{2-73}$$

$$|H(\omega_1)|^2 = |H(\omega_2)|^2 = \frac{1}{2}|H(\omega_p)|^2$$

式中,$H(\omega_p)$为频率响应函数峰值。

复数频率响应最大值为

$$H_r(\omega_p) = \frac{\omega_r}{C_r} \qquad (2-74)$$

$$\int_0^\infty |H_r(\omega)|^2 \mathrm{d}\omega = \frac{\pi}{2}|H_r(\omega_p)|^2 B_r \qquad (2-75)$$

把公式(2-72)和公式(2-74)代入式(2-75),并把公式(2-75)代入公式(2-71),给出轻阻尼单自由度系统 r 阶近似方差 $\sigma_{\eta r}$,对于随机载荷 $P_O\Gamma_r f(t)$,由公式(2-71)得

$$E|\eta_r^2(t)| = \frac{P_O\Gamma_r}{M_r}S_f(\omega_p)\frac{1}{4}\frac{\omega_r^2}{C_r} \qquad (2-76)$$

因为波激振动是一个轻阻尼过程,所以采用上面的近似公式是合理的。这一结果不仅对单自由度系统是合理的,对于多自由度系统,只要给出 η_r 的标准坐标,也可以同样应用这一结果,因为这样的系统的运动公式是非耦合的。

回顾一下梁的位移可以写成公式(2-35)和公式(2-39)的形式,分布参数系统响应 $w(x,t)$ 的均方差可以近似写成

$$E[w^2(x,t)] = \sum_{r=0}^n \frac{1}{4}\varphi_r^2(x)\frac{P_O^2}{\omega_r}\frac{\Gamma_r^2}{M_r^2}S_f(\omega_r)\frac{\omega_r^2}{C_r} \qquad (2-77)$$

近似过程的实现是在忽略模态之间响应和交叉乘积项的前提下实现的。这两个假设对轻阻尼系统是正确的。

2.4　修正的波激振动计算方法

总体来讲,波激振动可以通过船体振动的弱阻尼二节点振动计算出来。这样,在频率响应方法有效的前提下,均方差可以从公式(2-76)中得到。但是在分析中可以看出,这个条件是不满足弱阻尼系统的,如对于二节点垂向振动模态即波激振动,具体计算流程如图2.2所示。

当频率响应方法无效时,如阻尼系数低于3%和对于较短时域内的非静态激振,以上的计算方法可以被小幅修正而把瞬时影响考虑进来。这可以通过在波激振动响应的均方上加一个修正因子的方法来实现。

对于时域内的修正因子可以采用如下计算方法,图2.2中应用了这一修正因子:

$$\sigma^2 = G_r\sigma_s^2 \qquad (2-78)$$

式中,σ^2 即包括非静态和瞬时影响的波激振动的均方;σ_s^2 即根据频率响应方法得到的波激振动均方;G_r 即 r 阶波激振动修正因子;σ_s^2 可以表述为波激振动响应位移的均方 $E[W^2(x,t)]$ 或者标准化的波激振动响应 $E[\eta^2(t)]$ 的均方;$E[W^2(x,t)]$ 由公式(2-77)和公式(2-35)给出。

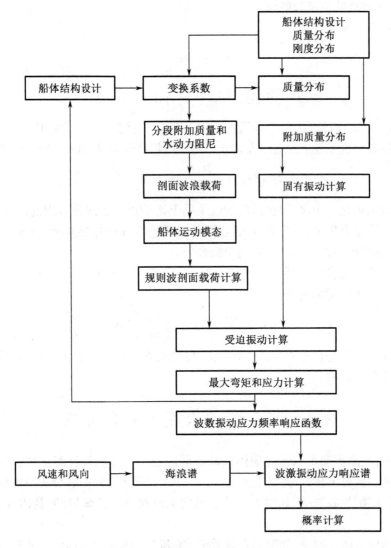

图 2.2   修正的波激振动计算流程

2.5   线性二阶系统响应

对于 r 阶非耦合微分方程，由公式(2-46)给出：

$$\ddot{\eta}_r + c_r\dot{\eta}_r + \omega_r^2\eta_r = f(t)P_0\Gamma_r/M_r$$

式中，C_r 为 r 阶振动阻尼系数。

利用拉普拉斯变换，有

$$L^{-1}\left[f(t)\right]\int_0^\infty \mathrm{e}^{-st}f(t)\,\mathrm{d}t = f(s) \tag{2-79}$$

$$L^{-1}\left[\eta_r(t)\right] = \eta_r(s)$$

$\dot{\eta}_r$ 和 $\ddot{\eta}_r$ 的拉普拉斯变换为

$$L^{-1}[\dot{\eta}_r] = s\,\eta_r(s) - \eta_r(0) \tag{2-80}$$

$$L^{-1}[\ddot{\eta}_r(t)] = s^2\eta_r(s) - s\,\eta_r(0) - \dot{\eta}_r(0) \tag{2-81}$$

式中，$\eta_r(0)$ 和 $\dot{\eta}_r(0)$ 为在 $t=0$ 时刻的初始位移和初始速度。

这时公式(2-79)的拉普拉斯变换如下：

$$\eta_r(s) = \frac{P_o\Gamma_r}{M_r}H(s)f(s) + H(s)(s+Cr)\eta_r(0) + H(s)\dot{\eta}_r(0) \tag{2-82}$$

$$H(s) = \frac{1}{\left[s - \left(\frac{1}{2}C_r\right)\right]^2 + \omega_{dr}^2} \tag{2-83}$$

$$\omega_{dr}^2 = \omega_r^2 - \frac{1}{4}C_r^2 \tag{2-84}$$

式中，ω_{dr} 为阻尼固有频率。

响应 $\eta_r(t)$ 由拉普拉斯逆变换公式(2-82)得到。利用频移性质和卷积定理，逆变换的不同形式可以通过不同的拉普拉斯变换得到。

利用频移变换：

$$L^{-1}[f(s)] = F(t)$$
$$L^{-1}[f(s-a)] = e^{at}F(t) \tag{2-85}$$

利用卷积定理：

$$L^{-1}[H(s)\Delta f(s)] = \int_0^{\mathrm{T}} H(t-\lambda)f(\lambda)\,\mathrm{d}\lambda \tag{2-86}$$

现在可以得到下面的逆变换：

$$L^{-1}[H(s)] = e^{-\frac{1}{2}c_r t}\frac{\sin\omega_{dr}t}{\omega_{dr}} \tag{2-87}$$

$$H(t') = L^{-1}[H(s)] = e^{-\beta_r t'}\frac{\sin\omega_{dr}t'}{\omega_{dr}}$$

利用变换 $t' = t - \lambda$，得

$$H(t-\lambda) = \frac{e^{-2c_r(t-\lambda)}}{\omega_{dr}}\sin[\omega_{dr}(t-\lambda)] \tag{2-88}$$

$$L^{-1}[H(s)\Delta(s+c_r)] = e^{-C_r t}\cos\omega_{dr}t + \frac{1}{2}c_r e^{\frac{1}{2}c_r t}\frac{\sin\omega_{dr}t}{\omega_{dr}} \tag{2-89}$$

已知

$$L^{-1}[\eta_r(s)] = \eta_r(t) \tag{2-90}$$

把公式(2-88)代入公式(2-86)，把公式(2-86)、公式(2-87)、公式(2-89)和公式(2-90)代入公式(2-81)，给出 $\eta_r(t)$ 对于动态载荷 $f(t)$ 的响应

$$\eta_r(t) = \frac{P_o\Gamma_r}{M_r}\left\{\int_0^{\mathrm{T}}\frac{1}{\omega_{dr}}e^{-\frac{1}{2}c_r(t-\lambda)}\sin[\omega_{dr}(t-\lambda)]f(\lambda)\,\mathrm{d}\lambda + B_1 + B_2\right\} \tag{2-91}$$

式中

$$B_1 = e^{-\frac{1}{2}c_r t}\left[\frac{c_r}{2\omega_{dr}}\sin(\omega_{dr}t) + \cos(\omega_{dr}t)\right]\eta_r(0) \tag{2-92}$$

$$B_2 = \mathrm{e}^{-\frac{1}{2}c_r t} \frac{1}{\omega_{\mathrm{dr}}} \sin(\omega_{\mathrm{dr}} t) \Delta \dot{\eta}_r$$

式中,右边第二项第三项代表了系统自由振动的初始条件 $\eta_r(t)$ 和 $\dot{\eta}_r(0)$。代入初始条件,得到任意动态载荷的响应

$$\eta_r(t) = \frac{P_0 \Gamma_r}{M_r} \left\{ \int_0^{\mathrm{T}} \frac{1}{\omega_{\mathrm{dr}}} \mathrm{e}^{-\frac{1}{2}c_r(t-\lambda)} \sin[\omega_{\mathrm{dr}}(t-\lambda)] f(\lambda) \mathrm{d}\lambda \right\} \qquad (2-93)$$

根据公式(2-15)得到零初始条件公式

$$\eta_r(t) = \frac{P_0 \Gamma_r}{M_r} \int_0^{\mathrm{T}} H_r(t-\lambda) f(\lambda) \mathrm{d}\lambda \qquad (2-94)$$

式中,$H_r(t-\lambda)$ 由公式(2-88)给出。H_r 为脉冲响应函数,可以推导出 H_r 为单位脉冲响应 h_r。

所以 $H_r(t) = h_r(t)$,可以看出复数频率响应函数 $H_r(\omega)$ 是脉冲响应函数 $h_r(t)$ 的傅里叶变换:

$$H_r(\omega) = \int_{-\infty}^{+\infty} h_r(t) \mathrm{e}^{-\mathrm{i}\omega t} \mathrm{d}t \qquad (2-95)$$

$$h_r(t-\lambda) = 0, t-\lambda < 0$$

$$h_r(t-\lambda) \neq 0, t-\lambda > 0$$

$$f(\lambda) = 0, \lambda < 0$$

$$f(\lambda) \neq 0, \lambda > 0$$

公式(2-94)等同于

$$\eta_r(t) = \frac{P_0 \Gamma_r}{M_r} \int_{-\infty}^{+\infty} h_r(t-\lambda) f(\lambda) \mathrm{d}\lambda \qquad (2-96)$$

傅里叶变换公式

$$F_{\eta r}(\omega) = \int_{-\infty}^{+\infty} \eta_r(t) \mathrm{e}^{-\mathrm{i}\omega t} \mathrm{d}t = \frac{P_0 \Gamma_r}{M_r} \int_{-\infty}^{+\infty} f(\lambda) \int_{-\infty}^{+\infty} h_r(t-\lambda) \mathrm{e}^{-\mathrm{i}\omega t} \mathrm{d}t \mathrm{d}\lambda$$

做一个变量替换

$$\theta = t - \lambda$$

$$\mathrm{d}\theta = \mathrm{d}t$$

积分极限不变,有

$$F_{\eta r}(\omega) = \frac{P_0 \Gamma_r}{M_r} \int_{-\infty}^{+\infty} f(\lambda) \mathrm{e}^{-\mathrm{i}\omega\lambda} \mathrm{d}\lambda \int_{-\infty}^{+\infty} h_r(\theta) \mathrm{e}^{-\mathrm{i}\omega\theta} \mathrm{d}\theta \qquad (2-97)$$

总而言之,频率响应通过单位脉冲响应的傅里叶变换得到,从公式(2-96)可以看出单位脉冲函数的傅里叶变换是复数频率响应函数。

因而 $\eta_r(t)$ 傅里叶变换

$$F_{\eta r}(\omega) = \frac{P_0 \Gamma_r}{M_r} F_f(\omega) H_r(\omega) \qquad (2-98)$$

$$F_f(\omega) = \int_{-\infty}^{+\infty} f(t) \mathrm{e}^{-\mathrm{i}\omega t} \mathrm{d}t$$

2.6 本章小结

本章主要对船舶波激振动原理进行了系统研究,对波激振动计算的理论假设条件及产生波激振动的原理进行了详细介绍:首先定义海况条件,假定其为平稳随机过程,在此基础上进行结构响应的计算;介绍了固有振动的计算方法、模态分析方法、阻尼的定义及结构对谐振和频率的响应计算流程;最后给出了一个修正的波激振动的计算方法,并针对线性二阶系统的响应做出了详细的推导。

第 3 章 大型集装箱船疲劳强度计算

3.1 概　　述

船舶的疲劳强度与船舶的运营、维护和安全性等都是密切相关的,船舶疲劳损伤的主要来源为不间断的应力循环,而这种载荷累计作用的结果就是疲劳损伤,这与船舶的尺寸、装载工况、航速及海况等都有关系。这些随机因素在船舶设计阶段并没有被有效地考虑进来,这也就导致疲劳裂纹的出现比预计的时间要早。Moe 等人在其报告中预报了一艘矿砂船在服务仅一年后就出现了疲劳裂纹,Storhaug 等人在一服务仅 8 年的集装箱船上发现了同样的问题,2007 年 MSC Napoli 号发生事故后,在英国海警将其托往德文郡时,船体两侧出现了 1.5 m 的疲劳裂缝,同时由于当时的极端海况和天气原因使船体遭受了超过其极限强度的负荷,这一事故在当时引起了各界的广泛关注。

通过更有效地使用材料和更合理地设计结构,我们可以增加船体的疲劳寿命,提高其安全性。所以建立合理的疲劳模型并能够准确地预报疲劳损伤对于船舶结构设计会有很好的指导意义,本章将会总结现阶段的疲劳计算方法,并根据大型集装箱船的特点提出适用的疲劳计算方法,最后以一艘大型集装箱船为例进行计算。

3.2 疲劳评估原理

船舶结构疲劳强度评估方法一般包含两个方向,一个是建立 $S-N$ 曲线及 Miner 线性损伤理论的累计损伤判定方法,另一个是基于断裂力学的计算方法。本书主要采用第一种评估方式,疲劳强度评估的直接计算方法主要包含作用在船体结构上的疲劳载荷计算,其中涉及水动力分析、应力响应评估和疲劳损伤计算。

3.2.1 疲劳应力范围的确定及疲劳累计损伤度的计算

疲劳应力范围的长期分布的连续性模型一般采用 Weibull 分布形式,在船舶海洋工程结构疲劳可靠性分析中,应力范围的长期分布可以用连续的理论分布函数来描述,这样就可以得到封闭形式解析解,便于分析和运算。

Weibull 分布的概率密度函数可以写成

$$f_x(x) = \frac{\xi}{\alpha}(x-\gamma)^{\xi-1}\exp\left[-\frac{(x-\gamma)^\xi}{\alpha}\right], \quad \gamma \leqslant x < +\infty \tag{3-1}$$

式中,α 为尺度参数,ξ 为形状参数,γ 为位置参数。其中位置参数 γ 可以确定取值的下限,如结构疲劳寿命或者应力范围肯定是一个大于 0 的数,所以此处 γ 可以取 0,控制形状参数的大小可以使 Weibull 的适用范围扩大。

由此,应力范围的 Weibull 分布可以写成

$$f_s(s) = \frac{\xi}{\alpha}(s)^{\xi-1}\exp\left(-\frac{s^\xi}{\alpha}\right) \tag{3-2}$$

尺度参数的确定首先要按照"一生一遇"的准则来求解,最大应力范围为 S_L,则

$$P(S > S_L) = \frac{1}{N_L} \tag{3-3}$$

式中,N_L 为载荷谱回复周期内的应力循环总次数。由公式(3-1)可以得到

$$P(S > S_L) = \int_{S_L}^{+\infty} f_s(s)\,\mathrm{d}s = \int_{S_L}^{+\infty} \frac{\xi}{\alpha}(s)^{\xi-1}\exp\left(-\frac{s^{\xi}}{\alpha}\right) = \exp\left(-\frac{S_L^{\xi}}{\alpha}\right) \tag{3-4}$$

代入公式(3-2)中可以得到

$$\alpha = \frac{S_L^{\xi}}{\ln N_L} \tag{3-5}$$

将公式(3-4)代入公式(3-1)可以得到

$$f_s(s) = \frac{\xi \ln N_L}{S_L^{\xi}}s^{\xi-1}\exp\left(-\frac{s^{\xi}}{S_L^{\xi}}\ln N_L\right), \quad 0 \leqslant s < +\infty \tag{3-6}$$

当应力范围长期分布用连续的概率密度函数表示时,疲劳累计损伤的计算公式如下:

$$D_L = \int_L \frac{\mathrm{d}n}{n} \tag{3-7}$$

式中,$\mathrm{d}n$ 是区间 $\mathrm{d}s$ 内的应力范围的循环次数,所以

$$\mathrm{d}n = N_L f_s(s)\,\mathrm{d}s \tag{3-8}$$

材料响应与疲劳寿命之间一般通过 $S-N$ 曲线来建立联系,采用双对数形式 $S-N$ 曲线时

$$N = \frac{A}{s^m} \tag{3-9}$$

由此可以推导出

$$D_L = \int_L \frac{\mathrm{d}n}{n} = \int_0^{+\infty} \frac{N_L f_s(s)\,\mathrm{d}s}{\dfrac{A}{s^m}} = \frac{N_L}{A}\int_0^{+\infty} s^m f_s(s)\,\mathrm{d}s = \frac{N_L}{A}E(s^m) \tag{3-10}$$

$$E(s^m) = \int_0^{+\infty} s^m f_s(s)\,\mathrm{d}s \tag{3-11}$$

将公式(3-11)代入公式(3-2)可以计算出

$$E(s^m) = \int_0^{+\infty} s^m \frac{\xi \ln N_L}{S_L^{\xi}}s^{\xi-1}\exp\left(-\frac{s^{\xi}}{S_L^{\xi}}\ln N_L\right)\mathrm{d}s = \frac{S_L^m}{(\ln N_L)^{\frac{m}{\xi}}}\Gamma\left(\frac{m}{\xi}+1\right) \tag{3-12}$$

把公式(3-11)和公式(3-4)代入公式(3-12)中就可以推导出在整个疲劳寿命期内的疲劳累计损伤度

$$D_L = \frac{N_L}{A}E(s^m) = \frac{N_L}{A}\frac{S_L^m}{(\ln N_L)^{\frac{m}{\xi}}}\Gamma\left(\frac{m}{\xi}+1\right) = \frac{N_L}{A}\alpha^{\frac{m}{\xi}}\Gamma\left(\frac{m}{\xi}+1\right) \tag{3-13}$$

式中,m 和 A 为 $S-N$ 曲线的两个参数,$\Gamma(\ )$ 为伽马函数。

3.2.2　波浪模型的建立

船舶航行的环境处于一种持续变化的状态,海面波浪很难用随时间、风速及风向等因素变化的数学函数来模拟,所以以采用数值模拟则更具可靠性。海浪的数值记录可以描述整个过程,对于大洋的海浪来说,海浪的变化在短期内可以看成是一个稳态随机过程。

在船舶结构分析中采用线性 Airy 波理论,不规则波的时间历程可以分解成一系列的规

则波

$$\zeta = \sum_{i=1}^{N} \zeta_i \sin(\omega_i t - k_i x + \varepsilon_i) \qquad (3-14)$$

式中　ζ_i——规则波波幅；

　　　ω_i——波频；

　　　k_i——波数；

　　　ε_i——相位。

每一个稳定的海况都可以采用一个能量谱来描述，$S(\omega|H_s, T_P)$ 描述了在不同有义波高和不同周期的波浪能量，谱密度与波幅之间的关系如下

$$\zeta_i = \sqrt{2 S_{\omega_i} \Delta\omega} \qquad (3-15)$$

当所有的组成波都沿着同一个方向传播时，这个波浪被认为是长峰波，这是一种理想的状态，在海上，波浪一般都是沿着不同的方向传播，所以一般都是短峰波。在船舶设计阶段，如果采用长峰波假设来计算，其结果只能是保守的分析，短峰波的存在会使船舶产生横向的扭转，这些作用在计算时不能被忽略，横浪对船舶造成的影响至关重要。

3.2.3　波浪载荷计算

在船舶结构分析中，水动力载荷一般可以采用切片法或者面元法来计算。切片法的计算原理是把船体载荷通过一系列横向切片的二维计算来模拟，切片法的计算准确性已经被很多学者证实，该方法的计算结果与实验值可以很好地吻合，但是切片法只是在垂向切片的情况下能到达比较好的精度，当切片有倾斜时，对计算精度有较大影响。面元法是建立在三维分析的基础上的，船体由一系列面元所构建，波浪载荷分布在这些面元上，所以对于横浪或斜浪的情况来说，面元法的计算更加精确。

波浪载荷包含非线性成分，这些非线性的来源是船体结构的几何非线性，如船体首部和尾部区域的非直弦等因素造成的中垂弯矩一般要大于中拱弯矩，而非线性波浪载荷的作用会使得船体疲劳损伤有更大程度的增加。

在实际计算时，一般都假设波浪与船体响应为线性关系，对于大多数的工程实际要求，一般把波浪假定为一个高斯过程，可以用谱密度函数来描述。在线性关系的假设前提下可以采用叠加原理来计算由规则波组成的不规则的响应问题，由此水动力的问题可以在频域范围内求解，船体响应可以通过线性变换来计算。更进一步来说，船舶的疲劳损伤可以通过应力响应谱来计算。

3.2.4　疲劳应力的计算

计算疲劳应力时要对关注的位置结构进行细化的有限元建模，通过有限元进行应力提取和计算。在一般操作中经常的做法是在名义应力上乘以一个应力集中系数来完成疲劳应力的计算，这种方法也是一种典型的近似求解，其中有很大的不确定因素，应力集中系数对疲劳分析有很大的影响。更加准确的做法是通过全船加载水动力载荷，并直接提取相应节点的应力，通过插值来完成热点应力的计算。

名义应力的提取可以通过梁理论或者全船有限元分析来进行，名义应力通常可以利用垂向弯矩、水平弯矩、扭转弯矩及垂向、水平剪力来计算。对于集装箱船甲板的结构细节一般只考虑垂向弯矩对疲劳强度的影响，垂向弯矩是引起纵向应力的主要来源。通过全船有

限元法来提取名义应力更加准确,尤其是在水线面附近的结构通过该方法计算更加准确,因为该处外表面水动力载荷非线性影响更加显著。在舷侧结构的疲劳损伤计算中,水压载荷会使全船及局部船体梁载荷增加,从而使得疲劳损伤随之增大。

3.3　疲劳损伤直接计算方法

根据在计算过程中确定应力分布的方式,可以把疲劳计算分为三种方法:简化计算方法、谱分析计算方法和设计波法。

各船级社一般会提出自己的简化计算流程,一般简化计算方法也会根据不同船级社的规范来完成,以达到工程设计的要求。在简化计算方法中,结构单元的长期应力分布被假定为遵从 Weibull 概率分布。简化计算方法在工程实践中有较强的实用价值,但是在采用该种方法时针对不同情况也有所变化,如如何确定 Weibull 分布的形状参数和尺度参数,如何选择相应的 $S-N$ 曲线等,这些都会对计算结果造成很大影响。

谱分析计算方法是一种直接计算方法,该方法是通过耐波性计算来得到应力过程的不同阶矩,根据不同海况计算运动模态,并通过数学合并计算得到最终疲劳计算结果。使用谱分析方法计算弯矩时采用 Rayleigh 概率密度函数来描述短期应力范围分布,而后需要计算应力响应的跨零率和谱宽带系数,以此来确定宽带随机过程的循环记数修正因子。根据海浪谱计算各个短期疲劳损伤并通过叠加来得到总的疲劳损伤,所以谱分析方法计算中根据各海况的出现概率来完成所有工况的计算,其准确程度更加令人满意。

设计波法可以被看成一种简化的谱分析方法,在谱分析方法计算过程中,要分别计算每一个海况来定义能量谱,而设计波法则是采用一个海况来近似模拟整个长期海浪作用的效果,这样只要确定了该海况的波高和周期就可以只计算一种海况,从而直接得到总的疲劳损伤结果。

每一种计算方法都有自己的优势,谱分析方法准确性较好,但是计算过程复杂,耗时较长。设计波法计算较快,但是如何确定代表性海况的波高和周期则需要通过先验性长期分析来得到,其不确定性较高。

3.3.1　谱分析计算方法

谱分析计算方法中一般假定垂向弯矩是引起结构疲劳应力循环的唯一载荷,而船舶在航行时也会遭遇到横浪和斜浪的情况,其结果是不但要存在垂向弯矩,同时也有水平弯矩的存在,所以在计算时可以采用多重随机载荷和应力分解的方式来计算疲劳损伤,这种垂向和水平弯矩的综合效应在疲劳强度计算中被普遍采用。虽然谱分析方法相对计算准确,但也有很多不确定的因素会对计算结果产生影响,如不同的循环记数修正因子、不同的谱带宽参数或者不同的浪向等,很多学者在该方面也进行了研究。

1.疲劳累计损伤模型

疲劳损伤的计算要借助 $S-N$ 曲线来完成,根据公式(3-10),当疲劳累计损伤度达到1时被认为是疲劳失效,A 为尺度参数,m 为形状参数。$S-N$ 曲线是通过大量的疲劳试验得到的,在确定了疲劳应力时通过 N 次应力循环达到疲劳破坏。所以在计算时选用不同的 $S-N$ 曲线对计算结果会有不同的影响,尤其是形状参数 m 的数值对结果的影响很大。

随机载荷造成的疲劳损伤计算起来非常复杂,在线性累计损伤的假设下可以采用

Miner—Palmgren 模型来计算,对于线性高斯窄带载荷过程,可以采用 Rayleigh 分布来近似,这样公式(3 – 13)可以写成

$$D_L = \frac{N_L}{A} E(s^m) = b^m \Gamma \left(1 + \frac{m}{2} \right) \tag{3 – 16}$$

式中,$b = 2\sqrt{2m_0}$,m_0 为随机过程 0 阶矩。考虑到波浪传播效应的随机过程,n 阶矩定义如下:

$$m_n(H_S, T_Z, \bar{\theta}) = \int_0^{\infty} \int_{\bar{\theta} - \frac{\pi}{2}}^{\bar{\theta} + \frac{\pi}{2}} \mathrm{RAO}_s(\theta, \omega)^2 S_{wv}(H_S, T_Z, \omega) \omega^n D(\theta) \mathrm{d}\theta \mathrm{d}\omega \tag{3 – 17}$$

式中　RAO——应力响应幅算子;

　　　S_{wv}——海浪谱;

　　　θ——短峰波的浪向;

　　　$\bar{\theta}$——平均浪向角;

　　　$D(\theta)$——扩散函数,其大小等于船舶航行方向与平均波浪传播方向的夹角。

总的应力循环时间定义为 t_L,跨零率为 $v_0(T_Z, \bar{\theta})$,海况出现频率为 $f(H_S, T_Z, \bar{\theta})$,这样应力循环次数可以写为

$$N_L(H_S, T_Z) = t_L f(H_S, T_Z, \bar{\theta}) v_0(T_Z, \bar{\theta}) \tag{3 – 18}$$

跨零率的计算仅与 T_Z 和 $\bar{\theta}$ 有关,其计算公式为

$$v_0 = \frac{1}{2\pi} \sqrt{\frac{m_2}{m_0}} \tag{3 – 19}$$

长期计算要根据海况资料来完成,现阶段已经有比较成熟的全球海况资料,不同地区不同季节都有对应的资料可以使用。但是海况资料在使用时还需要仔细斟酌,很多学者通过自己的实地观察提出了一些质疑。同时,海况也会随时间而变化,全球变暖等一些问题也会使海况资料的真实性有所偏差。

2. 弱非高斯应力过程

在计算时考虑到非高斯效应时,Rayleigh 和 Weibull 近似就不能模拟应力分布规律,但是可以通过在这些近似上乘以一个修正因子来描述该效应,非高斯过程的疲劳损伤与线性过程的损伤之比为

$$\gamma = 1 + \frac{m(m-1)(\kappa_4 - 3)}{24} \tag{3 – 20}$$

式中,κ_4 为应力响应过程的峰度系数,高斯过程的峰度系数为正常值 3,所以此处 γ 值为 1,当 $\gamma > 1$ 时则为尖峰过程,非高斯修正考虑到了该效应对疲劳损伤的增加;当 $\gamma < 1$ 时则为扁峰过程,非高斯效应会减轻疲劳损伤。

此时,疲劳累计损伤窄带过程可以写为

$$D_L = \frac{N_L}{A} (2\sqrt{2m_0})^m \Gamma \left(1 + \frac{m}{2} \right) \left[1 + \frac{m(m-1)(\kappa_4 - 3)}{24} \right] \tag{3 – 21}$$

3. 宽带载荷疲劳损伤

在实际情况中,对船体结构疲劳起到主要作用的是宽带长期过程,为了计算该过程的疲劳损伤,可以在时域范围内进行模拟应力响应,同时采用雨流计数法来确定应力循环次数。在计算累计损伤度时,可以在计算结果上乘以一个修正系数来计算宽带过程,该系数

计算如下:

$$\rho = a + (1-a)(1+\varepsilon)^b \qquad (3-22)$$

式中, $a = 0.926 - 0.33m$, $b = 1.587 - 2.323m$, ε 如下:

$$\varepsilon = \sqrt{1-\alpha^2} \qquad (3-23)$$

α 为不规则因子,可以计算如下:

$$\alpha = \frac{m_2}{\sqrt{m_0 m_4}} \qquad (3-24)$$

虽然在大多数情况下上述计算可以很好地模拟宽带过程,但是在有些情况下却不能做到很好的近似,在不规则参数的确定方面也有其他途径可以遵循,这要根据具体计算需求来确定。

在每一个短期海况下,疲劳损伤计算如下:

$$D_{Li} = \frac{t_L}{A}(2\sqrt{2})^m \Gamma\left(1+\frac{m}{2}\right)\rho_i v_{0i} S_{wv} s_i^m \qquad (3-25)$$

为了更好地计算频域范围内的能量谱,可以在此基础上再增加一个谱带宽系数:

$$\delta = \sqrt{\frac{m_0 m_2}{m_1^2} - 1} \qquad (3-26)$$

这两个系数 ε 和 δ 在计算时都可以采用,其结果可以进行对比分析。

4. 广义宽带高斯过程

对于广义宽带高斯过程,循环记数修正因子可以采用如下公式:

$$\rho(m,\beta) = \frac{1+\beta}{2}\left[1 + \frac{\sqrt{1-\beta^2}}{2\sqrt{\pi}\beta}(1-\beta^2)^{\frac{m+1}{2}}\frac{\Gamma\left(\frac{m+1}{2}\right)}{\Gamma\left(\frac{m}{2}+1\right)}\right] \qquad (3-27)$$

式中, $\beta = \sqrt{1-\varepsilon^2}$ 。

进一步,在计算机数值模拟技术下,Dirlik 提出了更加细致的模拟公式来进行运算:

$$f_s(s) = \frac{1}{2\sqrt{m_0}}\left[\frac{D_1}{Q}\exp\left(-\frac{s}{2\sqrt{m_0}Q}\right) + \frac{D_2 s}{2\sqrt{m_0}R^2}\exp\left(-\frac{s^2}{8m_0 R^2}\right) + \frac{D_s s}{2\sqrt{m_0}}\exp\left(-\frac{s^2}{8m_0}\right)\right]$$
$$(3-28)$$

$$D_1 = \frac{2(x_m - \beta^2)}{1+\beta^2}$$

$$D_2 = \frac{1-\beta - D_1 + D_1^2}{1-R}$$

$$D_3 = 1 - D_1 - D_2$$

$$Q = \frac{1.25(\beta - D_3 - D_2 R)}{D_1}$$

$$R = \frac{\beta - x_m - D_1^2}{1 - \beta - D_1 + D_1^2}$$

$$x_m = \frac{m_1}{m_0}\sqrt{\frac{m_2}{m_4}}$$

$$\beta = \sqrt{1-\varepsilon^2}$$

$$\varepsilon_i = \sqrt{1 - \frac{m_2^2}{m_0 m_4}}$$

这样定义概率分布函数,则循环修正因子可以定义如下:

$$\rho(m,\beta) = D_1 \left(\frac{Q}{\sqrt{2}}\right)^m \frac{\Gamma\left(\frac{m+1}{2}\right)}{\Gamma\left(\frac{m}{2}+1\right)} + \left(\frac{R}{\sqrt{2}}\right)^m D_2 + D_3 \qquad (3-29)$$

3.3.2 设计波法

设计波法与谱分析方法计算相似,但是其计算过程要简化很多,谱分析方法要根据海况资料,对每一个海况、每一个浪向和频率都进行计算,最后按照概率分布来进行拟合得到最终的疲劳累计损伤结果;而设计波法则是根据海况资料,分析其长期过程,得到一个等效的设计波,然后只需计算该海况就可以直接得到疲劳累计损伤的结果。设计波法被大多船级社采用,且各船级社都提出了设计波法的计算流程。本书采用法国船级社(BV)提出的设计波法规范来进行计算,以 BV 船级社对于大型集装箱船有关疲劳强度的规范为标准,基于设计波法和 Miner 疲劳累积损伤理论分析方法,对集装箱船热点部位进行疲劳强度的评估。

1. 设计波法基本原理

船舶在波浪中航行将会受到各种持续变化的载荷作用,在设计波计算时,首先要选取某一主要控制载荷,当这一控制载荷达到最大值时,其他载荷取瞬时值。所以设计波法的计算关键在于如何确定以控制载荷为基础的规则波参数,使得按照该规则波计算出的船体响应能够代表航行过程中的一定概率水平的应力范围。

2. 加载过程

适用于疲劳强度计算的载荷工况要通过以下要点的分析确定:

(1)静水荷载下的有限元特征值计算;

(2)对于各构件的强度来说危险的载荷工况的选取。

各载荷工况下设计波特参数的确定包括以下步骤:

(1)计算响应幅算子并确定控制载荷相位;

(2)设计波波长和浪向的选取;

(3)确定设计波使控制载荷达到最大值时的相位;

(4)确定使控制载荷达到设计值时的设计波波幅。

3. 主要控制载荷

每个危险工况都会是以下控制载荷中的一个达到最大值,从而对结构中某些构件或这些构件的组合产生决定性的影响,使总的组合应力达到最大值。

(1)弯矩(迎浪工况)

①中拱状态船舯横剖面垂向波浪弯矩;

②中垂状态船舯横剖面垂向波浪弯矩。

(2)水平弯矩(斜浪和横浪工况)

船舯横剖面水平波浪弯矩。

(3)波浪扭矩(斜浪和横浪工况)

①货物区靠船尾处波浪扭矩(最大翘曲应力);

②货物区靠船舯处波浪扭矩(最大翘曲应力);

③货物区靠船首处波浪扭矩(最大翘曲应力)。

(4)局部压力(迎浪和横浪工况)

①正浮装载工况下船舯横剖面船底中线处波浪压力;

②倾斜装载工况下船舯横剖面船底舭部处波浪压力。

4. 控制载荷长期值

波浪载荷的预报可分为长期预报和短期预报。短期预报的时间范围从半小时到几个小时不等,在这段时间内,船舶的装载工况、航速、航向角及海浪情况都被认为是不变的。长期预报的时间范围从几年到船舶的整个生命周期不等,在此时间内,以上因素是变化的。显然,长期预报是许多短期预报的组合。

波浪载荷值服从 Rayleigh 分布:

$$f_s = \frac{x}{s^2}\exp\left(-\frac{x^2}{2\,s^2}\right) \tag{3-30}$$

公式中只有一个参数——$s^2 = m_0$,可以通过响应谱 $s_M(\omega_e)$ 求得,ω_e 为遭遇频率:

$$s^2 = m_0 = \int_0^\infty s_M(\omega_e)\,\mathrm{d}\omega_e = \int_0^\infty |H_M(\omega_e)|^2\mathrm{d}\omega_e \tag{3-31}$$

由此可以得到交变过程统计值,在海浪谱确定后波浪载荷长期值可以由下面公式得到:

$$f(x) = \frac{\sum_i \sum_j v_{ij}\,p_i\,p_j\,f_{ij}(s)}{\sum_i \sum_j v_{ij}\,p_i\,p_j} \tag{3-32}$$

式中,i 从 1 到海况资料中的海况总数,j 从 1 到航向总数,p_i 为第 i 个海况出现的概率,p_j 为第 j 个航向出现的概率,v_{ij} 为第 i 个海况、第 j 个航向的平均跨零率。

5. 等效设计波

对于每种载荷工况,可视为船在某种由以下特定参数确定的规则波中航行:

(1)波长;

(2)浪向角;

(3)波高(波幅 2 倍)。

根据控制载荷达到最大值的时刻选择相位值,主要控制载荷见 3.3.2。

通过计算得到相应浪向和波长的响应幅算子后,设计波的波幅通过控制载荷设计值除以相应的响应幅算子值得到。

3.3.3　实船计算

1. 计算工况

计算中选择中集开发的 16 000 TEU 集装箱船为例进行计算,在疲劳计算中选择两种装载工况进行计算:

(1)满载工况结构吃水;

(2)压载工况。

谱分析计算时,浪向角为 0°～180°,以 15°为一个步长进行计算,频率从 0.3 到 1.6 进行计算,以 0.05 为步长。

设计波计算时,根据 BV 规范,选择工况如下:

在疲劳评估中为了得到热点位置最大应力范围,将提供三种(迎浪、斜浪和横浪)由不同浪向组合成的典型情况。

(1)迎浪工况

迎浪工况以垂向弯矩为控制载荷的(中拱状态与中垂状态的差值)最大应力范围。

(2)斜浪工况

斜浪工况以扭矩为控制载荷最大应力范围,浪向角有 60°和 120°。

(3)横浪工况

横浪工况以局部压力、水平弯矩和扭矩为控制载荷的最大应力范围。

除了规范中规定的以上工况外,本书还将进行单一设计波工况的疲劳评估,即最终疲劳评估结果中只考虑了一种工况。

波浪载荷的计算是基于势流理论的三维线性频域法,图3.1 是用于计算的水动力模型。

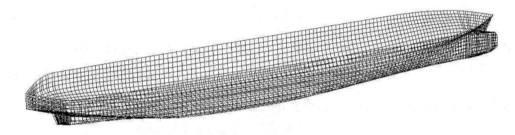

图3.1　水动力模型

根据波浪载荷长期预报的结果,并考虑到上述装载和载荷工况,各设计波参数可以确定如下,如表3.1 至表3.3 所示。

表 3.1　基于 BV 规范的设计波参数(压载)

编号	浪向/(°)	控制载荷	频率/Hz	波幅/m
1	0	垂向弯矩	0.5	5.6
2	180	垂向弯矩	0.45	3.33
3	90	水平弯矩	0.75	3.05
4	60	扭矩	1	4.05
5	75	扭矩	1.05	3.94
6	90	扭矩	1.05	5.04
7	105	扭矩	1.25	3.50
8	120	扭矩	0.7	4.40
9	90	船中剖面舷部处压力	0.6	3.94

表 3.2　基于 BV 规范的设计波参数(满载)

编号	浪向/(°)	控制载荷	频率/Hz	波幅/m
1	0	垂向弯矩	0.5	5.43
2	180	垂向弯矩	0.45	6.9
3	90	水平弯矩	0.75	3.91
4	60	扭矩	1	5.19
5	75	扭矩	1.05	3.54
6	90	扭矩	1.05	6.59
7	105	扭矩	1.25	3.39
8	120	扭矩	0.7	4.94
9	90	船中剖面舷部处压力	0.6	5.75

表 3.3　单一设计波参数

编号	浪向/(°)	控制载荷	频率/Hz	波幅/m
1	0	$1/4L$ 垂向弯矩	0.5	5.26
2	75	$1/4L$ 水平弯矩	0.85	4.25
3	135	$1/4L$ 扭矩	0.35	4.61
4	0	船中垂向弯矩	0.5	5.33
5	60	船中水平弯矩	0.75	3.60
6	105	船中扭矩	1.25	3.38
7	0	$3/4L$ 垂向弯矩	0.5	5.33
8	105	$3/4L$ 水平弯矩	0.95	3.28
9	105	$3/4L$ 扭矩	0.9	3.63

　　大型集装箱船的疲劳强度评估所用的模型根据专业设计图纸建模,建模过程及计算分析操作使用商业有限元软件——MSC/PATRAN 和 NASTRAN 进行。

　　有限元模型都是由四边形和三角形壳单元模拟建成,包括船体外壳、横舱壁、内壳及框架。所有的梁和扶墙材由偏心梁单元加以适当组合模拟建成。带有开孔的小结构通过调整全船的质量使之与实际符合,带有开孔中的大结构尽可能与实际形状相同。

　　不同装载工况下的有限元模型如图 3.2 和图 3.5 所示。

　　在不同装载工况下的重量调整过程中,整船重量的调整是通过调整材料密度和加结构质量点来实现。不同装载工况下的载重量的调整通过在相应的装载位置加结构质量点来实现,而质量点通过 MPC 与周围节点关联在一起。

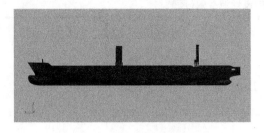

图 3.2　压载状态有限元模型 1

图 3.3　压载状态有限元模型 2

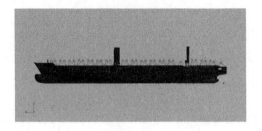

图 3.4　满载状态有限元模型 1

图 3.5　满载状态有限元模型 2

2. 疲劳计算参数设定

(1) 疲劳计算假设

① 北大西洋航区 (特定除外);

② 航行因子:0.85;

③ 船舶 75% 处于满载,25% 处于压载 (特定除外);

④ 腐蚀因子:对于有涂层防护的液舱 $K_{\mathrm{cor}} = 1$ (其他情况为 1.5)。

(2) 应力范围的确定

用于计算疲劳损伤度的应力范围是切口应力范围,切口应力范围根据以下公式获得,单位为 N/mm^2。

$$\Delta\sigma_{N,ij} = K_{C,ij}\Delta\sigma_{N0,ij}$$

式中

$$\Delta\sigma_{N0,ij} = 0.7 K_F K_M \Delta\sigma_{G,ij}$$

式中　K_F——疲劳切口因子 $K_F = \lambda\sqrt{\dfrac{\theta}{30}}$;

λ——焊接系数,本书中 $\lambda = 2.15$;

θ——平均焊趾角,通常取 30° (一般对接情况) 和 45° (T 型对接和十字对接接头);

K_m——应力集中系数,本书 $K_m = 1$;

$\Delta\sigma_{G,ij}$——热点应力范围。

$$K_{C,ij} = \frac{0.4 R_{eH}}{\Delta\sigma_{N0,ij}} + 0.6, \quad 0.8 \leqslant K_{C,ij} \leqslant 1$$

如果通过名义应力来获得热点应力,那么热点应力范围从以下公式计算,单位为 N/mm^2。

$$\Delta\sigma_{G,ij} = K_S \Delta\sigma_{\mathrm{nominal},ij}$$

式中 K_S——应力集中系数；

$\Delta\sigma_{\mathrm{nominal},ij}$——应力范围。

3. 疲劳强度计算

计算疲劳强度时，首先要确定关注区域，本书主要评估以下位置：

（1）舷侧纵向骨材与横框架连接处，此连接处纵向位于艉尖舱壁和防撞舱壁之间，垂向位于基线到上甲板之间；

（2）舱口角隅；

（3）在有必要的中间区域。

主要关心部位为船舯处疲劳损伤，所以船舯处具体关注部位较多，船首船尾主要关注关键点，模型细节描述如表3.4所示。

表3.4 模型细节描述

计算热点		位置			区域
分组编号	热点编号	X	Y	Z	
VS01	VS01P1	Fr66	21 700 of CL	26 700ABL	舱口角隅
VS02	VS02P1	Fr66	6 515 of CL	26 700ABL	机舱骨材艉部
VS03	VS03P2	Fr200	21 700 of CL	24 600ABL	上甲板角隅
VS04	VS03P3	Fr215	21 700 of CL	20 160ABL	第二层甲板角隅
VS05	VS05P1	Fr72	21 700 of CL	24 600ABL	舱口围板末端
VS06	VS06P1	Fr285	21 700 of CL	26 700ABL	舱口角隅
VS07	VS07P1	Fr80	6 515 of CL	24 600ABL	机舱骨材艉部
VS08	VS08P2	Fr48	21 700 of CL	24 600ABL	上甲板关键开口
VS09	VS09P3	Fr92	21 700 of CL	2 0160ABL	第二层甲板关键开口
VS10	VS10P1	Fr146	21 700 of CL	26 700ABL	舱口角隅
	VS10P2	Fr146	21 700 of CL	24 600ABL	上甲板角隅
	VS10P3	Fr146	21 700 of CL	20 160ABL	第二层甲板角隅
	VS10P4	Fr146	21 700 of CL	26 700ABL	舱口角隅
	VS10P5	Fr146	21 700 of CL	24 600ABL	上甲板角隅
	VS10P6	Fr146	21 700 of CL	20 160ABL	第二层甲板角隅

细化局部结构模型如图3.6所示。

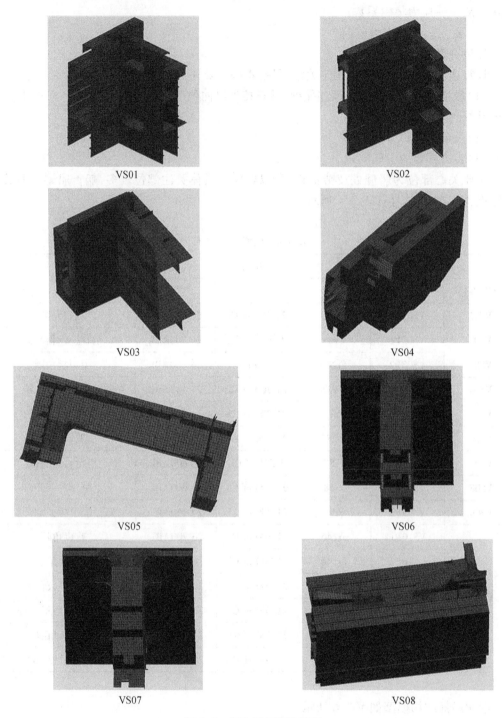

VS01　　　　　　　　　　VS02

VS03　　　　　　　　　　VS04

VS05　　　　　　　　　　VS06

VS07　　　　　　　　　　VS08

图3.6　细化局部结构模型

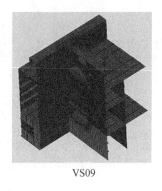

VS09

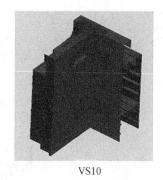

VS10

图 3.6(续)

4.疲劳强度评估结果

一号设计波疲劳评估热点应力云图如图 3.7 至图 3.10 所示。

（1）压载状态,设计波编号:1 中拱

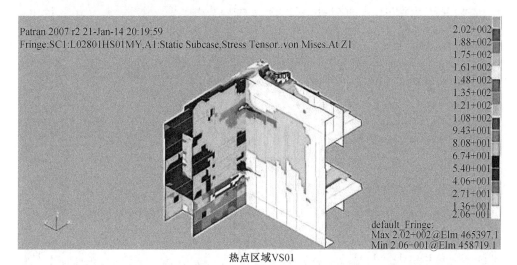

热点区域VS01

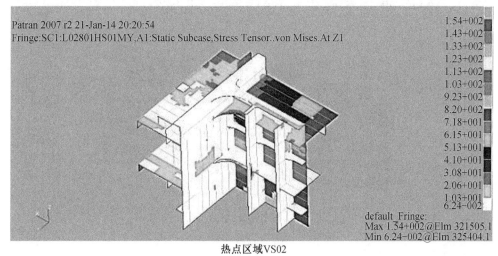

热点区域VS02

图 3.7　压载工况设计波 1 号中拱评估结果

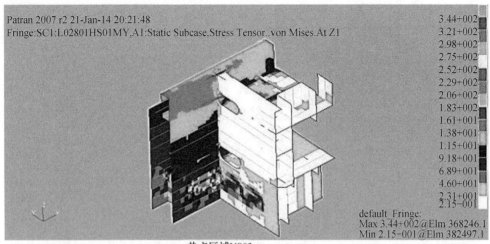

热点区域VS03

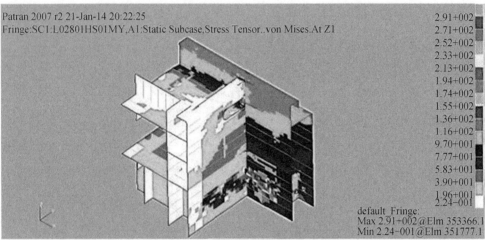

热点区域VS04

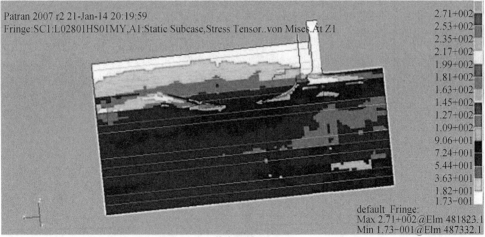

热点区域VS05

图 3.7(续 1)

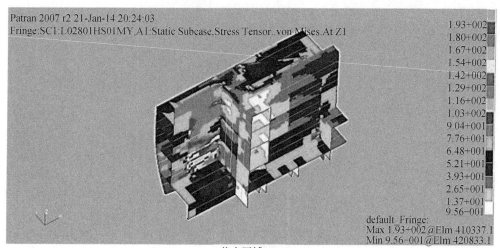

热点区域VS06

热点区域VS07

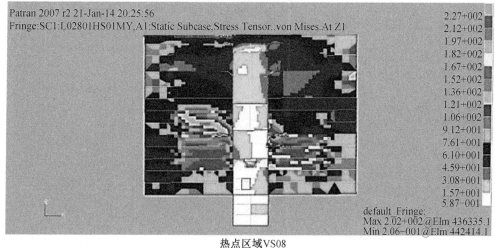

热点区域VS08

图 3.7(续 2)

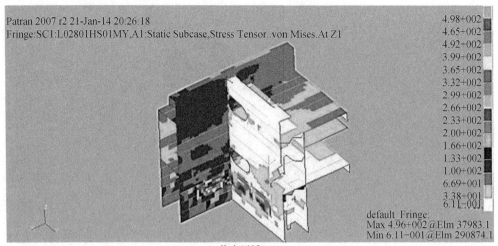

Patran 2007 r2 21-Jan-14 20:26:18
Fringe:SC1:L02801HS01MY,A1:Static Subcase,Stress Tensor..von Mises.At Z1

4.98+002
4.65+002
4.92+002
3.99+002
3.65+002
3.32+002
2.99+002
2.66+002
2.33+002
2.00+002
1.66+002
1.33+002
1.00+002
6.69+001
3.38+001
6.11-001

default_Fringe:
Max 4.96+002@Elm 37983.1
Min 6.11-001@Elm 290874.1

热点区域VS09

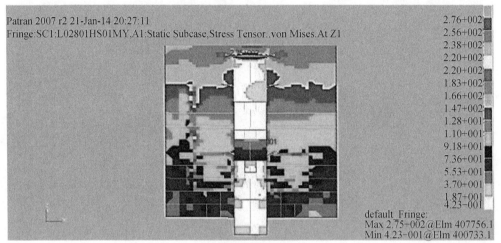

Patran 2007 r2 21-Jan-14 20:27:11
Fringe:SC1:L02801HS01MY,A1:Static Subcase,Stress Tensor..von Mises.At Z1

2.76+002
2.56+002
2.38+002
2.20+002
2.20+002
1.83+002
1.66+002
1.47+002
1.28+001
1.10+001
9.18+001
7.36+001
5.53+001
3.70+001
1.87+001
4.23-001

default_Fringe:
Max 2.75+002@Elm 407756.1
Min 4.23-001@Elm 400733.1

热点区域VS10

图 3.7(续 3)

（2）压载状态，设计波编号：1 中垂

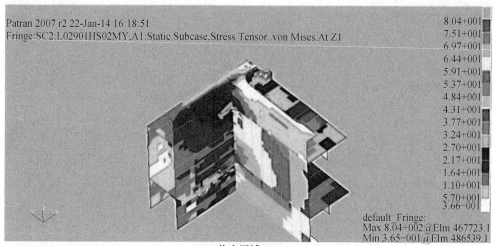

热点区域VS01

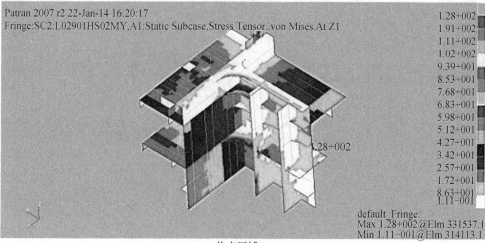

热点区域VS02

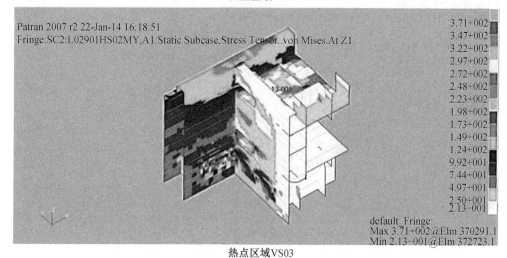

热点区域VS03

图 3.8　压载工况设计波 1 号中垂评估结果

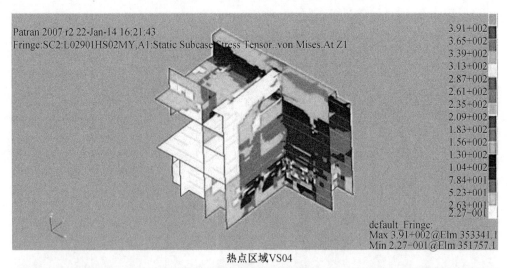

热点区域VS04

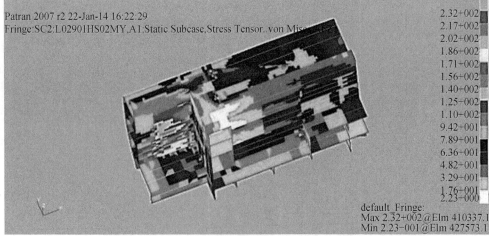

热点区域VS05

热点区域VS06

图3.8(续1)

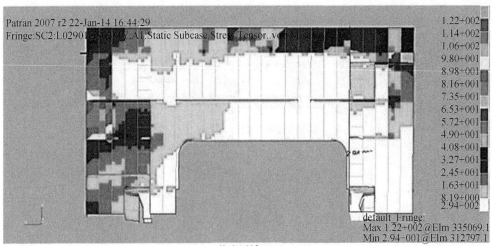

热点区域VS07

热点区域VS08

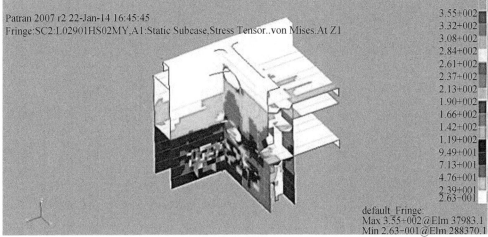

热点区域VS09

图 **3.8**(续 2)

热点区域VS10

图3.8(续3)

（3）满载状态，设计波编号：1 中拱

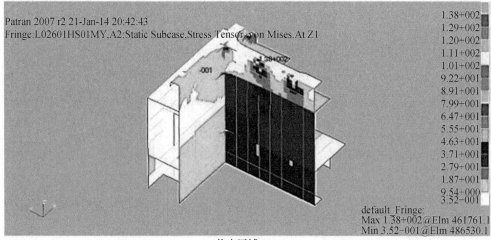

热点区域VS01

图3.9 满载工况设计波编号1 中拱

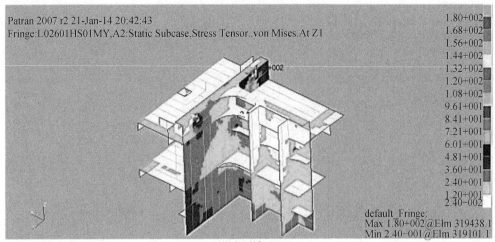

热点区域VS02

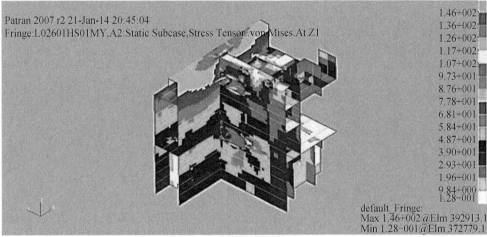

热点区域VS03

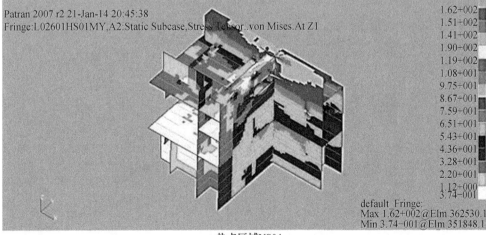

热点区域VS04

图 3.9（续 1）

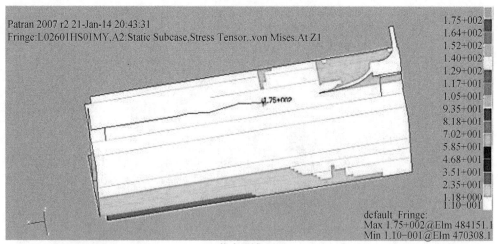

热点区域VS05

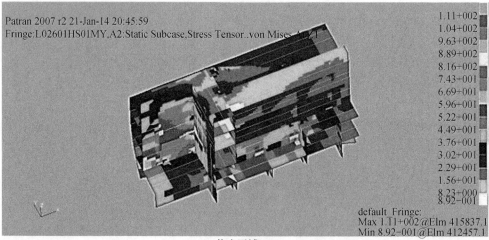

热点区域VS06

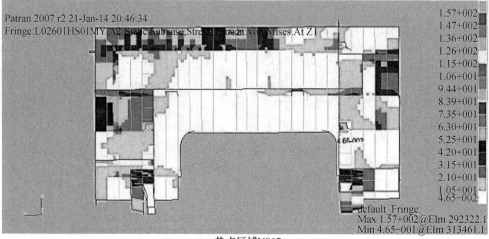

热点区域VS07

图3.9(续2)

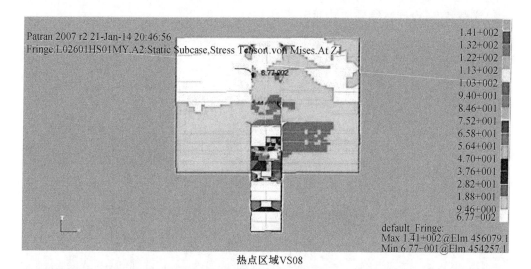

热点区域VS08

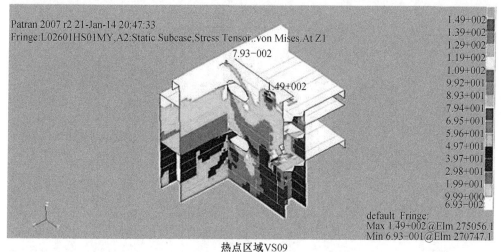

热点区域VS09

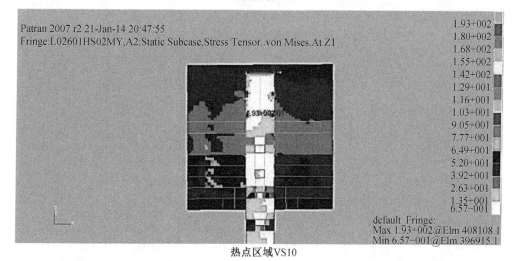

热点区域VS10

图 3.9(续 3)

（4）满载状态，设计波编号：1 中垂

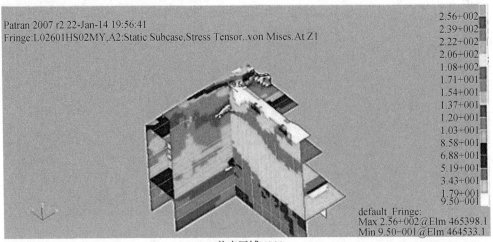

热点区域VS01

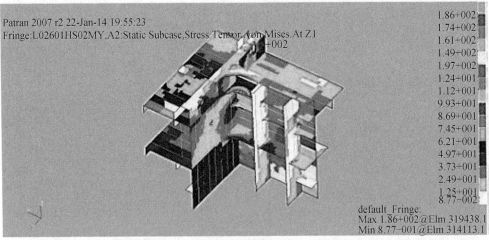

热点区域VS02

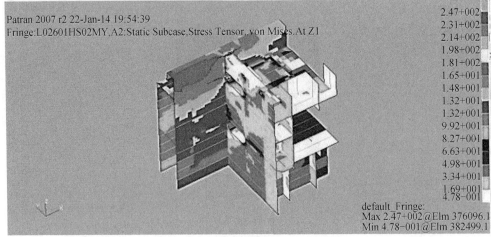

热点区域VS03

图3.10　满载工况设计波编号1中垂

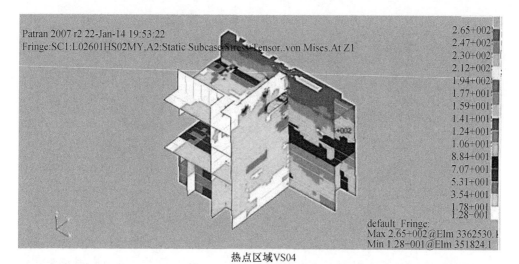

热点区域VS04

热点区域VS05

热点区域VS06

图 3.10(续 1)

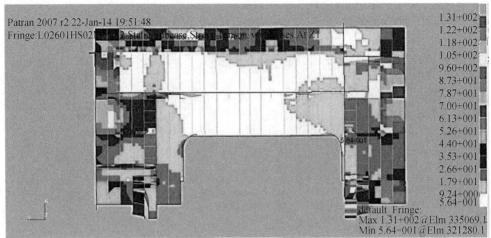

热点区域VS07

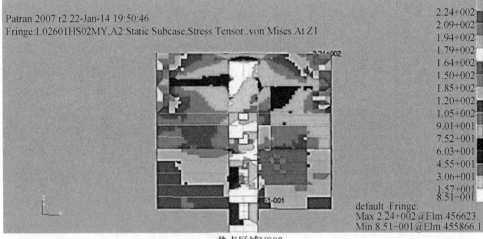

热点区域VS08

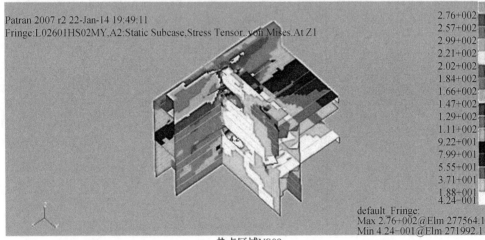

热点区域VS09

图 3.10(续 2)

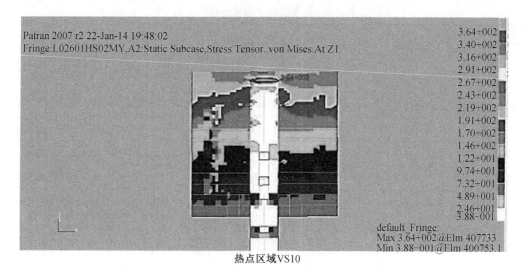

热点区域VS10

图 3.10（续 3）

设计波计算方法的疲劳评估结果如下,此处只给出一号设计波的具体计算结果和所有设计波计算的疲劳累计损伤结果,如表 3.5 至表 3.10 所示。

表 3.5　一号设计波压载疲劳评估结果

计算热点		中拱应力/MPa	中垂应力/MPa	应力范围/MPa	疲劳损伤度
分组编号	热点编号				
VS01	VS01P1	8.23×10^1	2.44×10^1	5.79×10^1	1.17×10^{-3}
VS02	VS02P1	-6.07×10^1	-1.88×10^1	1.27×10^1	4.01×10^{-7}
VS03	VS03P2	1.51×10^2	-1.19×10^2	2.69×10^2	7.47×10^{-1}
VS04	VS03P3	9.08×10^1	-1.54×10^2	2.45×10^2	3.01×10^{-1}
VS05	VS05P1	1.41×10^2	2.47×10^1	1.16×10^2	3.68×10^{-2}
VS06	VS06P1	1.35×10^2	-1.37×10^2	2.72×10^2	6.88×10^{-1}
VS07	VS07P1	3.90×10^1	2.25×10^1	1.65×10^1	6.61×10^{-7}
VS08	VS08P2	5.42×10^1	2.72×10^1	2.70×10^1	3.04×10^{-5}
VS09	VS09P3	1.02×10^2	6.11	9.63×10^1	1.12×10^{-2}
VS10	VS10P1	2.60×10^2	-1.33×10^2	3.92×10^2	2.01×10^1
	VS10P2	2.00×10^2	-1.14×10^2	3.14×10^2	1.03×10^1
	VS10P3	2.35×10^2	-5.01×10^1	2.85×10^2	1.79×10^1
	VS10P4	2.61×10^2	-8.16×10^1	3.43×10^2	1.47
	VS10P5	2.22×10^2	-5.29×10^1	2.75×10^2	7.70×10^{-1}
	VS10P6	2.44×10^2	9.91	2.35×10^2	1.11×10^{-1}

表 3.6　压载工况疲劳累计损伤计算

热点位置编号	累计损伤度								
	1 号	2 号	3 号	4 号	5 号	6 号	7 号	8 号	9 号
VS01	1.17×10^{-3}	1.06×10^{-6}	6.21×10^{-6}	3.78×10^{-6}	7.80×10^{-7}	5.06×10^{-11}	6.06×10^{-6}	6.67×10^{-9}	3.29×10^{-8}
VS02	4.01×10^{-7}	9.74×10^{-10}	2.55×10^{-5}	1.17×10^{-4}	1.60×10^{-6}	1.50×10^{-5}	4.55×10^{-4}	4.80×10^{-4}	7.63×10^{-6}
VS03	7.47×10^{-1}	8.26×10^{-9}	3.09×10^{-1}	3.40×10^{-1}	1.20×10^{-9}	2.17×10^{-4}	2.20×10^{-1}	4.17×10^{-2}	6.56×10^{-2}
VS04	3.01×10^{-1}	8.25×10^{-8}	1.02	1.38×10^{-1}	9.10×10^{-8}	9.05×10^{-4}	7.90×10^{-1}	3.82×10^{-1}	5.00×10^{-1}
VS05	3.68×10^{-2}	1.25×10^{-5}	2.14×10^{-8}	6.91×10^{-9}	1.30×10^{-6}	2.83×10^{-5}	1.88×10^{-6}	1.21×10^{-3}	6.62×10^{-7}
VS06	6.88×10^{-1}	9.05×10^{-10}	1.33×10^{-1}	1.45×10^{-2}	9.30×10^{-8}	4.81×10^{-2}	1.31×10^{-2}	1.84×10^{-3}	1.11×10^{-1}
VS07	6.61×10^{-7}	1.71×10^{-11}	6.03×10^{-6}	3.43×10^{-4}	1.90×10^{-6}	2.13×10^{-5}	1.53×10^{-4}	1.90×10^{-4}	1.00×10^{-6}
VS08	3.04×10^{-5}	9.98×10^{-9}	1.19×10^{-5}	1.21×10^{-4}	8.10×10^{-7}	1.66×10^{-5}	2.06×10^{-4}	6.06×10^{-5}	9.34×10^{-7}
VS09	1.12×10^{-2}	1.71×10^{-8}	8.63×10^{-3}	3.41×10^{-2}	1.90×10^{-6}	1.81×10^{-4}	1.53×10^{-2}	4.61×10^{-3}	2.08×10^{-3}
VS10	2.01	2.22×10^{-5}	6.49×10^{-2}	5.14×10^{-2}	3.90×10^{-5}	2.27×10^{-3}	5.10×10^{-1}	5.39×10^{-1}	2.05×10^{-2}
	1.03	6.20×10^{-6}	6.77×10^{-2}	1.05×10^{-1}	2.10×10^{-5}	3.75×10^{-3}	4.38×10^{-1}	4.41×10^{-1}	1.92×10^{-2}
	1.79×10^{-1}	8.79×10^{-7}	5.40×10^{-3}	1.15×10^{-1}	3.20×10^{-4}	1.99×10^{-4}	9.06×10^{-2}	9.12×10^{-2}	7.98×10^{-4}
	1.47	3.75×10^{-6}	3.13×10^{-2}	1.49×10^{-1}	1.30×10^{-6}	6.68×10^{-5}	7.43×10^{-3}	3.95×10^{-4}	1.28×10^{-2}
	7.70×10^{-1}	7.13×10^{-7}	1.60×10^{-1}	2.59×10^{-1}	1.40×10^{-7}	7.25×10^{-4}	1.47×10^{-1}	5.09×10^{-2}	6.66×10^{-2}
	1.11×10^{-1}	1.26×10^{-7}	9.53×10^{-3}	1.96×10^{-2}	3.10×10^{-9}	3.92×10^{-5}	1.89×10^{-3}	3.57×10^{-4}	4.37×10^{-3}

表 3.7　一号设计波满载疲劳评估结果

计算热点		中拱应力/MPa	中垂应力/MPa	应力范围/MPa	疲劳损伤度
分组编号	热点编号				
VS01	VS01P1	-3.00×10^{1}	9.87×10^{1}	9.90×10^{1}	5.59×10^{-3}
VS02	VS02P1	-3.98	3.28×10^{1}	3.68×10^{1}	3.23×10^{-5}
VS03	VS03P2	-7.45×10^{1}	1.62×10^{2}	2.37×10^{2}	1.98×10^{-1}
VS04	VS03P3	-8.86×10^{1}	8.86×10^{1}	1.77×10^{2}	4.89×10^{-2}
VS05	VS05P1	1.57×10^{1}	2.21×10^{2}	2.05×10^{2}	1.17×10^{-1}
VS06	VS06P1	-4.00×10^{1}	7.63×10^{1}	1.16×10^{2}	1.46×10^{-2}
VS07	VS07P1	-2.91×10^{-1}	1.83×10^{1}	1.86×10^{1}	5.57×10^{-7}
VS08	VS08P2	5.52	3.99×10^{1}	3.44×10^{1}	3.98×10^{-5}
VS09	VS09P3	-7.91	9.63×10^{1}	1.04×10^{2}	7.19×10^{-3}

表 3.7（续）

计算热点		中拱应力/MPa	中垂应力/MPa	应力范围/MPa	疲劳损伤度
分组编号	热点编号				
VS10	VS10P1	-9.88×10^1	3.72×10^2	4.71×10^2	1.24
	VS10P2	-7.94×10^1	3.10×10^2	3.90×10^2	6.07×10^{-1}
	VS10P3	-1.01×10^2	2.35×10^2	3.36×10^2	1.19×10^{-1}
	VS10P4	-5.24×10^1	2.70×10^2	3.23×10^2	4.63×10^{-1}
	VS10P5	-2.08×10^1	2.18×10^2	2.39×10^2	1.99×10^{-1}
	VS10P6	-1.60×10^1	1.42×10^2	1.58×10^2	1.14×10^{-2}

表 3.8　满载工况疲劳累计损伤计算

计算热点		疲劳损伤度								
分组编号	热点编号	1 号	2 号	3 号	4 号	5 号	6 号	7 号	8 号	9 号
VS01	VS01 P1	5.59×10^{-3}	3.15×10^{-3}	3.12×10^{-3}	1.02×10^{-4}	6.62×10^{-6}	2.05×10^{-4}	4.79×10^{-5}	3.27×10^{-7}	3.00×10^{-7}
VS02	VS02 P1	3.23×10^{-5}	2.37×10^{-5}	6.05×10^{-3}	1.30×10^{-4}	2.11×10^{-3}	1.07×10^{-2}	4.94×10^{-4}	2.22×10^{-2}	5.30×10^{-10}
VS03	VS03 P2	1.98×10^{-1}	1.92×10^{-1}	8.87×10^{-3}	5.53×10^{-2}	2.12×10^{-3}	3.41×10^{-2}	3.08×10^{-3}	6.44×10^{-3}	1.90×10^{-4}
VS04	VS03 P3	4.89×10^{-2}	6.00×10^{-2}	2.03×10^{-4}	1.74×10^{-1}	9.19×10^{-3}	1.03×10^{-1}	9.83×10^{-4}	6.23×10^{-4}	3.52×10^{-2}
VS05	VS05 P1	1.17×10^{-1}	9.09×10^{-2}	2.45×10^{-5}	2.01×10^{-5}	1.16×10^{-4}	2.05×10^{-5}	7.59×10^{-9}	1.71×10^{-2}	3.78×10^{-6}
VS06	VS06 P1	1.46×10^{-2}	1.02×10^{-2}	6.80×10^{-2}	1.47×10^{-1}	2.60×10^{-3}	2.04×10^{-4}	4.57×10^{-2}	3.07×10^{-1}	2.61×10^{-7}
VS07	VS07 P1	5.57×10^{-7}	2.21×10^{-7}	4.89×10^{-3}	6.64×10^{-4}	1.27×10^{-3}	2.97×10^{-3}	6.78×10^{-5}	4.95×10^{-3}	7.08×10^{-6}
VS08	VS08 P2	3.98×10^{-5}	1.39×10^{-5}	2.02×10^{-2}	4.40×10^{-4}	2.48×10^{-3}	2.62×10^{-2}	9.31×10^{-4}	6.28×10^{-3}	3.09×10^{-7}
VS09	VS09 P3	7.19×10^{-3}	5.70×10^{-3}	1.23×10^{-1}	2.72×10^{-2}	3.22×10^{-2}	1.14×10^{-1}	6.53×10^{-3}	4.47×10^{-2}	1.03×10^{-4}

表 3.8（续）

计算热点		疲劳损伤度								
分组编号	热点编号	1 号	2 号	3 号	4 号	5 号	6 号	7 号	8 号	9 号
VS10	VS10 P1	1.24	1.30	4.51×10^{-2}	2.89×10^{-4}	3.36×10^{-2}	7.75×10^{-2}	2.71×10^{-3}	2.49×10^{-1}	6.04×10^{-3}
	VS10 P2	6.07×10^{-1}	6.54×10^{-1}	8.55×10^{-2}	5.81×10^{-4}	4.11×10^{-2}	1.24×10^{-1}	8.87×10^{-4}	1.33×10^{-1}	2.05×10^{-3}
	VS10 P3	1.19×10^{-1}	1.37×10^{-1}	5.18×10^{-2}	7.52×10^{-5}	1.31×10^{-2}	4.89×10^{-2}	1.64×10^{-4}	3.70×10^{-2}	2.80×10^{-2}
	VS10 P4	4.63×10^{-1}	3.86×10^{-1}	2.54×10^{-1}	1.01×10^{-2}	2.60×10^{-2}	4.04×10^{-2}	1.29×10^{-6}	6.82×10^{-4}	3.50×10^{-4}
	VS10 P5	1.99×10^{-1}	1.55×10^{-1}	3.28×10^{-1}	1.10×10^{-2}	1.08×10^{-1}	1.42×10^{-2}	2.91×10^{-4}	1.88×10^{-2}	1.55×10^{-5}
	VS10 P6	1.14×10^{-2}	4.51×10^{-3}	3.29×10^{-2}	4.58×10^{-4}	4.99×10^{-3}	3.11×10^{-3}	6.64×10^{-9}	2.15×10^{-5}	4.62×10^{-3}

表 3.9　单一设计波一号评估结果

计算热点		中拱应力/MPa	中垂应力/MPa	应力范围/MPa	疲劳损伤度
分组编号	热点编号				
VS01	VS01P1	1.13×10^{2}	3.97×10^{1}	7.37×10^{1}	1.45×10^{-3}
VS02	VS02P1	3.64×10^{1}	5.28	3.11×10^{1}	1.39×10^{-5}
VS03	VS03P2	1.63×10^{2}	-2.98×10^{1}	1.92×10^{2}	1.13×10^{-1}
VS04	VS03P3	8.72×10^{1}	-9.51×10^{1}	1.82×10^{2}	5.45×10^{-2}
VS05	VS05P1	2.47×10^{2}	6.87×10^{1}	1.78×10^{2}	7.01×10^{-2}
VS06	VS06P1	5.83×10^{1}	2.71×10^{1}	3.12×10^{1}	2.84×10^{-5}
VS07	VS07P1	1.78×10^{1}	1.36×10^{1}	4.18	3.21×10^{-10}
VS08	VS08P2	4.61×10^{1}	2.67×10^{1}	1.94×10^{1}	2.27×10^{-6}
VS09	VS09P2	2.03×10^{2}	3.32×10^{1}	1.69×10^{2}	8.43×10^{-2}
VS10	VS10P1	3.96×10^{2}	-8.26×10^{1}	4.79×10^{2}	8.53×10^{-1}
	VS10P2	3.28×10^{2}	-8.51×10^{1}	4.14×10^{2}	7.00×10^{-1}
	VS10P3	2.46×10^{2}	-1.27×10^{2}	3.73×10^{2}	1.55×10^{-1}
	VS10P4	2.87×10^{2}	6.17×10^{1}	2.25×10^{2}	2.10×10^{-1}
	VS10P5	2.31×10^{2}	9.13×10^{1}	1.40×10^{2}	3.32×10^{-2}
	VS10P6	7.92×10^{1}	1.30×10^{2}	5.04×10^{1}	4.63×10^{-5}

表 3.10　单一设计波疲劳累计损伤

计算热点		疲劳损伤度								
分组编号	热点编号	1 号	2 号	3 号	4 号	5 号	6 号	7 号	8 号	9 号
VS01	VS01 P1	1.45×10^{-3}	1.55×10^{-4}	2.94×10^{-6}	2.42×10^{-4}	2.11×10^{-3}	4.69×10^{-5}	1.08×10^{-7}	6.29×10^{-8}	5.72×10^{-9}
VS02	VS02 P1	1.39×10^{-5}	5.32×10^{-3}	1.28×10^{-5}	7.81×10^{-6}	4.16×10^{-3}	4.85×10^{-4}	5.95×10^{-7}	1.72×10^{-3}	6.07×10^{-3}
VS03	VS03 P2	1.13×10^{-1}	7.24×10^{-7}	8.64×10^{-2}	1.71×10^{-1}	6.13×10^{-3}	3.03×10^{-3}	1.25×10^{-1}	2.02×10^{-2}	7.39×10^{-3}
VS04	VS03 P3	5.45×10^{-2}	2.04×10^{-4}	7.38×10^{-1}	9.70×10^{-2}	1.33×10^{-4}	9.75×10^{-2}	7.24×10^{-2}	1.10×10^{-1}	4.81×10^{-2}
VS05	VS05 P1	7.01×10^{-2}	1.62×10^{-7}	2.82×10^{-3}	3.29×10^{-4}	1.61×10^{-5}	7.41×10^{-9}	1.33×10^{-3}	2.65×10^{-3}	3.23×10^{-3}
VS06	VS06 P1	2.84×10^{-5}	4.81×10^{-2}	2.23×10^{-2}	2.46×10^{-3}	4.96×10^{-2}	4.50×10^{-2}	1.28×10^{-2}	6.51×10^{-5}	3.97×10^{-3}
VS07	VS07 P1	3.21×10^{-10}	8.71×10^{-4}	6.44×10^{-4}	1.87×10^{-9}	3.31×10^{-3}	6.65×10^{-5}	2.95×10^{-9}	7.69×10^{-5}	4.59×10^{-4}
VS08	VS08 P2	2.27×10^{-6}	1.61×10^{-2}	1.06×10^{-6}	2.94×10^{-8}	1.43×10^{-2}	9.14×10^{-4}	1.06×10^{-7}	2.62×10^{-4}	1.70×10^{-3}
VS09	VS09 P2	8.43×10^{-2}	4.77×10^{-2}	1.80×10^{-3}	2.46×10^{-3}	9.12×10^{-2}	6.42×10^{-3}	5.21×10^{-4}	3.64×10^{-3}	1.80×10^{-2}
VS10	VS10 P1	8.53×10^{-1}	1.16×10^{-2}	1.34×10^{-1}	9.68×10^{-1}	3.25×10^{-2}	2.66×10^{-3}	7.34×10^{-1}	1.80×10^{-1}	1.56×10^{-1}
	VS10 P2	7.00×10^{-1}	2.54×10^{-2}	4.95×10^{-2}	8.16×10^{-1}	6.26×10^{-2}	8.71×10^{-4}	4.68×10^{-1}	1.18×10^{-1}	8.78×10^{-2}
	VS10 P3	1.55×10^{-1}	1.17×10^{-2}	1.65×10^{-6}	1.95×10^{-1}	4.22×10^{-2}	1.61×10^{-4}	1.24×10^{-1}	2.31×10^{-2}	1.28×10^{-2}
	VS10 P4	2.10×10^{-1}	6.16×10^{-2}	1.09×10^{-2}	2.02×10^{-1}	2.12×10^{-1}	1.26×10^{-6}	6.76×10^{-2}	1.08×10^{-5}	4.94×10^{-5}
	VS10 P5	3.32×10^{-2}	1.09×10^{-1}	1.56×10^{-1}	2.65×10^{-2}	2.71×10^{-1}	2.86×10^{-4}	4.97×10^{-3}	1.09×10^{-2}	8.66×10^{-3}
	VS10 P6	4.63×10^{-5}	9.95×10^{-3}	7.55×10^{-2}	8.62×10^{-5}	2.33×10^{-2}	6.48×10^{-9}	4.57×10^{-5}	5.70×10^{-6}	6.38×10^{-7}

谱分析计算疲劳评估结果如表 3.11 所示。

表 3.11　谱分析疲劳评估结果

分组编号	热点编号	计算热点		
		满载	压载	评估位置
VS01	VS01P1	2.15×10^{-2}	2.66×10^{-2}	舱口角隅
VS02	VS02P1	4.58×10^{-2}	4.76×10^{-2}	机舱骨材艉部
VS03	VS03P2	1.36×10^{-1}	1.74×10^{-1}	上甲板角隅
VS04	VS03P3	1.43×10^{-1}	2.10×10^{-1}	第二层甲板角隅
VS05	VS05P1	8.57×10^{-2}	5.48×10^{-2}	舱口围板末端
VS06	VS06P1	1.24×10^{-1}	1.90×10^{-1}	舱口角隅
VS07	VS07P1	3.25×10^{-2}	4.51×10^{-2}	机舱骨材艉部
VS08	VS08P2	4.52×10^{-2}	1.02×10^{-1}	上甲板关键开口
VS09	VS09P3	1.02×10^{-1}	6.85×10^{-2}	第二层甲板关键开口
VS10	VS10P1	4.24×10^{-1}	4.51×10^{-1}	舱口角隅
	VS10P2	2.96×10^{-1}	2.59×10^{-1}	上甲板角隅
	VS10P3	1.24×10^{-1}	1.02×10^{-1}	第二层甲板角隅
	VS10P4	2.35×10^{-1}	3.65×10^{-1}	舱口角隅
	VS10P5	1.24×10^{-1}	3.25×10^{-1}	上甲板角隅
	VS10P6	2.57×10^{-1}	3.65×10^{-1}	第二层甲板角隅

　　采用谱分析和设计波计算方法分别对目标船的热点位置进行疲劳计算,从计算结果看,在迎浪和随浪的情况下,船舯处的疲劳损伤会较大,编号为 VS10 这一组都是船舯处的位置,设计波计算方法满载计算评估结果如图 3.11 所示,从图中可以看出,船舯疲劳累计损伤明显增加,在迎浪和随浪航行时舱口角隅处疲劳损伤最严重,在横浪和斜浪航行时上甲板角隅处将会出现较严重的疲劳损伤,如图 3.12 所示。

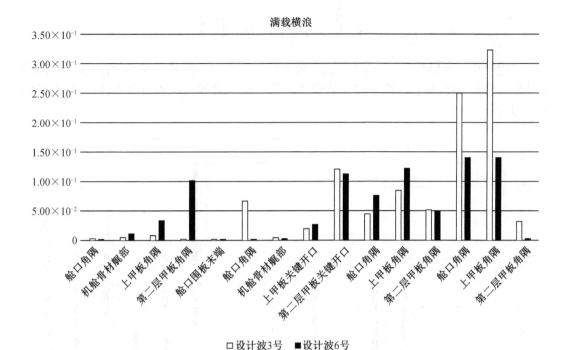

图 3.11　满载迎浪、随浪疲劳损伤结果

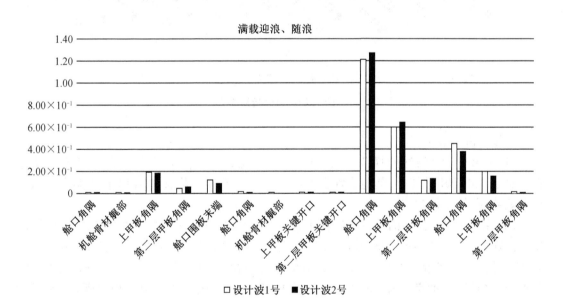

图 3.12　满载横浪疲劳损伤结果

3.4　本　章　小　结

从谱分析计算结果看,压载工况的疲劳累计损伤要高于满载工况,同时船舯处的疲劳损伤较为明显,疲劳损伤较严重的位置仍然是舱口角隅处和二甲板角隅处,对比结果如图3.13所示。

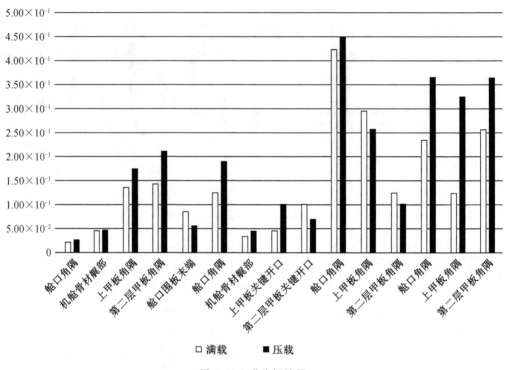

图3.13　谱分析结果

具体分析结果如下:

(1)在基于设计波法的规范评估结果中,所有位置的评估结果均合格,均达到设计寿命。除去 VS10P01 热点外,其他位置疲劳寿命均大于 40 年。热点 VS10P1 位于船中货舱舱口角隅处,疲劳寿命 39.2 年。

(2)在基于设计波法的单一设计波评估结果中,所有位置评估结果均合格,均达到设计寿命。除去热点 VS04P3、VS10P1、VS10P2 外,其他位置疲劳寿命均大于 40 年。热点 VS04P3 位于船中靠前货舱第二层甲板角隅,疲劳寿命为 33.2 年。热点 VS10P1 位于船中货舱舱口角隅处,疲劳寿命 25.3 年。热点 VS10P2 位于船中货舱上甲板角隅,疲劳寿命 30 年。

(3)在对纵向骨材与横向构件结合处的评估结果中,所有位置评估结果均合格,均达到设计寿命。大部分位置疲劳寿命大于 40 年。其中,舷侧位置的纵骨疲劳强度相对较弱。

(4)对于以上提到的疲劳强度较弱的位置,在建造中要提高建造工艺水平,并进行抛光等处理,在运营过程中要重点关注和及时维护。

第4章 计及波激振动及颤振的
疲劳强度规范计算方法

4.1 概 述

ABS 相关规范计算集装箱船的波激振动及颤振对疲劳的影响主要包括三部分:波激振动的计算、砰击的计算,以及在砰击计算的基础上进行的颤振的计算,这三部分计算完成后,将会统一计算波激振动及颤振对疲劳的贡献。

4.2 砰击简化计算方法

4.2.1 砰击计算规范流程

根据作用于船体的部位的不同,砰击现象分为以下几种情况:外飘砰击、底部砰击、艉部砰击、甲板上浪及艏部砰击。这些载荷都是瞬时载荷,但是对船体结构都能产生极大的破坏作用。虽然这些载荷在幅值及作用时间等方面都有很大差距,但是在作用机理方面都是相同的,瞬时载荷可以是高度非线性的,而且可以受到结构响应的影响,这样冲击压力及波浪载荷的幅值则可以作为结构设计方面的一个需要关注的因素,为了确定冲击压力,首先要确定以下内容:

(1)冲击压力作用的时间和强度;

(2)冲击压力作用的时间和空间分布;

(3)直接强度评估和结构设计的等效静态砰击载荷;

(4)艏部和艉部的设计。

对于集装箱船,其具有较大的外飘区域,砰击压力在此区域及艏部频繁发生,流体作用力作用在较大的范围上。有两种外飘砰击压力:脉动压力与非脉动压力,非脉动压力幅值与艏部浸没直接相关,脉动压力则随着船体与波浪接触而急速上升,随着时间成指数衰减。

在船体出水/入水的过程中,同时也会发生底部砰击和艉部砰击,底部砰击在该计算中设定为发生在距离艏部 1/4 船长处,这是根据集装箱的特点及经验所制定的。底部砰击和外飘砰击的产生会导致两种效应,首先会引起局部结构受到砰击作用的响应,再者会引起整个船体在受到冲击之后产生的颤振。

该计算方法可以用于计算在海洋中航行的油船、散货船、集装箱船和天然气船。在以下情况下需要计算砰击载荷:

(1)在压载工况艏吃水小于船长 4% 时,所有类型的船都需要计算底部砰击;

(2)具有较大外飘设计的集装箱船、液化气船及其他船舶需要计算外飘砰击;

(3)对于集装箱船或者液化气船等具有较突出的艏部设计的船舶要计算艉部砰击。

砰击计算采用 25 年期北大西洋海况进行计算,计算分以下步骤:

(1)选择工况;

(2)确定砰击作用范围;

(3)确定海况;

(4)进行船体运动分析;

(5)针对相对极限速度和垂向位移进行数值分析;

(6)计算设计砰击载荷;

(7)船体外壳及加强结构强度评估;

(8)开口及切口处强度评估;

(9)主要支撑构件强度评估。

前六个步骤是得到砰击压力,后三个步骤是计算结构强度。

4.2.2 航速、浪向及海况的确定

对于底部砰击的计算,选择最小吃水的航行工况,这种典型的工况即为压载工况。外飘砰击和艉部砰击的计算选择两种典型工况:设计吃水工况和压载工况。

在恶劣海况下,由于波浪增阻的原因,船舶航行的速度会被降低,航速被降低的程度与波浪的大小有关,砰击计算中航速的选择可按照表 4.1 进行。

表 4.1　计算外飘砰击的航速表

有义波高(H_s/m)	航速/kn
$0 < H_s \leqslant 6.0$	$100\% V_d$
$6.0 < H_s \leqslant 9.0$	$75\% V_d$
$9.0 < H_s \leqslant 12.0$	$50\% V_d$
$12.0 < H_s$	$25\% V_d$

关于浪向的选择,迎浪情况下艏部砰击较为严重,而随浪的情况下艉部砰击更严重,所以在计算过程中,外飘砰击和底部砰击计算从横浪到迎浪的情况,艉部砰击计算从随浪到横浪的情况。

选择典型的 IACS 提出的北大西洋海况,海况的选择建立在出现概率的基础上,1 年、20 年、25 年、30 年和 40 年为一个周期的海况数据,如表 4.2 所示。

表 4.2　IACS 海浪散布图海况

T_z	H_s/m				
	1 年	20 年	25 年	30 年	40 年
4.0	0.5	1.7	1.7	1.8	1.9
4.5	1.6	2.8	2.9	3	3.1

表4.2(续)

T_z	H_s/m				
	1 年	20 年	25 年	30 年	40 年
5.0	2.7	4.1	4.2	4.3	4.4
5.5	3.8	5.5	5.6	5.7	5.9
6.0	5	6.9	7	7.1	7.3
6.5	6.2	8.2	8.4	8.5	8.7
7.0	7.3	9.5	9.6	9.8	10
7.5	8.3	10.6	10.8	10.9	11.1
8.0	9.2	11.6	11.8	11.9	12.1
8.5	10	12.5	12.6	12.8	13
9.0	10.6	13.2	13.4	13.5	13.8
9.5	11.1	13.8	14	14.1	14.4
10.0	11.5	14.3	14.5	14.6	14.9
10.5	11.8	14.6	14.8	15	15.2
11.0	12	14.9	15.1	15.3	15.5
11.5	12	15.1	15.3	15.4	15.7
12.0	12	15.1	15.4	15.5	15.8
12.5	11.8	15.1	15.3	15.5	15.8
13.0	11.5	15	15.2	15.4	15.7
13.5	11	14.8	15	15.2	15.5
14.0	10.3	14.5	14.7	15	15.3
14.5	9.3	14.1	14.4	14.6	14.9
15.0	7.4	13.6	13.9	14.1	14.5
15.5		12.9	13.2	13.5	13.9
16.0		12	12.4	12.7	13.2
16.5		10.9	11.4	11.7	12.3
17.0		8.9	9.7	10.3	11
17.5					8.7

海浪谱采用双参数 PM 谱,选择的参数为有义波高 H_s 和平均跨零周期 T_z,其功率谱密度表达式如下:

$$S_\zeta = \frac{5}{16} \frac{\omega_p^4 H_s^2}{\omega^5} \exp\left[-1.25 \left(\omega_p / \omega \right)^4 \right] \qquad (4-1)$$

式中　S_ζ——能量谱密度;

　　　ω——波浪圆频率;

　　　ω_p——峰值频率。

$$\omega_p = 1.408\, T_z$$

4.2.3　船体运动分析

由于砰击压力和船体首部与波浪的相对运动速度和相对位移有关,所以首先要通过耐波性分析计算船体的运动,利用三维板单元构建的模型来计算船体运动,包括相对速度和相对位移的响应幅算子 RAO(Response Amplitude Operators),模型的网格划分要满足计算辐射势和绕射势的精度要求。

响应幅算子是船体对于单位规则波的响应,该部分的计算采用基于辐射绕射理论的三维势流理论,要求计算六自由度的船体运动。

响应幅算子的计算要覆盖浪向角,每间隔 15°为一个步长,波浪频率为 0.2 ~ 1.8 rad/s,步长取 0.05。计算采用面元法,基于线性势流理论,所以在耐波性计算中需要考虑黏性横摇阻尼。除了横摇阻尼外,也要考虑到舭龙骨、减摇鳍的阻尼作用,在规范中,极限横摇阻尼一般取 10% 来计算。

运动分析的目的主要是得到整个生命期内的相对速度和位移的极限值,从而计算砰击压力。

首先定义 n 次矩 m_n,为了获得极限值,需要计算每一海况的 n 次矩

$$m_n = \int_0^\infty \omega_e^n S_y(\omega_e)\,\mathrm{d}\omega_e \qquad (4-2)$$

式中　β_0——浪向角;

　　　$S_y(\omega_e)$——响应的谱密度函数。

$$S_y(\omega_e) = \int_0^{2\pi} |H(\omega_e,\beta)|^2 S_\zeta(\omega_e,\beta)\,\mathrm{d}\beta \qquad (4-3)$$

式中　ω_e——遭遇频率;

　　　$H(\omega_e,\beta)$——浪向角为 β 的响应幅算子;

　　　$S_\zeta(\omega_e,\beta)$——浪向角为 β 的功率谱密度。

$$\omega_e = \left| \omega - \frac{V\omega^2}{g}\cos\beta \right| \qquad (4-4)$$

式中　β——浪向角;

　　　g——重力加速度;

　　　V——航速。

通过变换和把 n 次矩的公式改写为圆频率 ω 的积分形式:

$$m_n = \int_0^\infty \int_0^{2\pi} \omega_e^n |H(\omega_e,\beta)|^2 S_\zeta(\omega,\beta)\,\mathrm{d}\beta\mathrm{d}\omega \qquad (4-5)$$

波浪诱导响应是均值为零的高斯随机过程,$Sy(\omega)$ 是峰值概率密度为 Rayleigh 分布的窄带分布谱密度函数。短期响应超过 x_0 的概率为 $Pr\{x_0\}$,对于第 j 个海况,其表达式如下:

$$Pr_j(x_0) = \exp\left(-\frac{x_0^2}{2\,m_0^j} \right) \qquad (4-6)$$

基于 Rayleigh 分布用于计算外飘砰击的垂向极限速度 v 如下:

$$v = \sqrt{2\,\sigma_v^2\left(\ln\frac{t}{T_2}\right)} \qquad (4-7)$$

式中　v——相对垂向速度,m/s;

　　　σ_v——相对速度标准差,m/s;

　　　t——计算总时间,s;

　　　T_2——相对垂向速度的平均周期,$T_2 = 2\pi\sqrt{\dfrac{m_0}{m_2}}$,s。

短期 3 h 的极限值取自 25 年回复期,载荷概率水平在 10^{-8},在此基础上评估生命周期的极限值。

4.2.4　砰击压力计算

在规范中提到了砰击压力的计算可以采用二维或者三维的方法,三维的方法可以采用模型实验的方法,或者是 CFD(Computational Fluid Dynamics)模拟的方法,而在该计算规范中将会采用二维方法来计算。

该二维的计算方法也被称为简化设计方法,该方法的应用将会考虑到砰击压力的三维效应。

砰击压力系数受船体局部结构的影响较大,比如艏部线型或者外飘区域的倾角和底部斜升角等,都是影响砰击压力的主要因素。局部砰击压力系数可以采用二维边界元理论来进行计算,砰击压力和合成应力可以通过切片穿透静水面的模拟来评估。在时域范围内,对每一个时间步长上进行边界元的水动力边界值问题进行求解,由于船体的存在导致的自由面的扰动计算采用瓦格纳公式,程序计算中需要输入每一个切片的型线、吃水和冲击速度的时间历程等数据。

砰击压力系数对于每一个局部可以用如下公式计算:

$$C_p = \frac{(\bar{p})_{\max}}{0.5kv^n} \qquad (4-8)$$

式中　v 为二维砰击分析中的垂向冲击速度,m/s;

　　　$(\bar{p})_{\max}$ 是二维砰击分析中定义的最大平均压力;

　　　k 取 0.102 5;

　　　计算外飘砰击时,$n=2$;

　　　其中,当 $3 \leqslant \alpha_b$ 时,计算底部和艉部砰击 $n=2$;

　　　当 $1 \leqslant \alpha_b < 3$ 时,计算底部和艉部砰击 $n=1.4$;

　　　当 $0 \leqslant \alpha_b < 1$ 时,计算底部和艉部砰击 $n=1$;

　　　α_b 为局部船体结构与水平方向的夹角。

为了考虑三维的效果,砰击需要乘以一个三维系数 C_{3D} 来较准,该系数是三维外飘砰击修正因子,该系数在规范计算中取 0.83。

除了三维效果,动态效果也要考虑,用于直接强度评估的设计砰击压力是等效静压力,该效果可以引起和动态砰击压力相同的最大结构响应。

设计砰击压力可以采用如下公式计算：

$$p_s = \frac{1}{2} k\, C_s C_{3D} C_p v^n \tag{4-9}$$

式中　C_s——动态载荷因子；

　　　C_{3D}——三维修正因子；

　　　C_p——局部压力系数；

　　　v——统计分析得到的船体和水的相对垂向速度，m/s。

4.2.5　评估准则

1. 屈服准则

为了评估主要支撑构件的强度，每一个独立的部分都要进行屈服校核。表4.3中给出了除了卡槽连接处的主要支撑构件和结构细节的允许应力，对所推荐的基本网格尺寸的允许应力定义为规定的最小屈服应力 f_y 乘以强度折减系数 S_m 的百分比。

表4.3　对于不同有限元网格尺寸的允许应力/MPa

网格尺寸	应力极值	低碳钢 ($S_m = 1.0$)	HT32 ($S_m = 0.95$)	HT36 ($S_m = 0.908$)	HT40 ($S_m = 0.875$)
$1 \times LS$	$1.00 \times c_f S_m f_y$	223.7	283.3	304.7	324.2
$1/2 \times LS$	$1.06 \times c_f S_m f_y$	237.1	300.3	322.9	343.6
$1/3 \times LS$	$1.12 \times c_f S_m f_y$	250.5	317.2	341.2	363.1
$1/4 \times LS$	$1.18 \times c_f S_m f_y$	263.9	334.3	359.4	382.5
$(1/5 \sim 1/10) \times LS$	$1.25 \times c_f S_m f_y$	279.6	354.1	380.8	405.2
Thickness	$1.50 \times c_f S_m f_y$	382.1	419.4	459.6	486.3

杆单元的允许应力是建立在轴向应力的基础上的，而四边形单元的被检查的是等效薄膜应力，上表中 LS 为纵向间隔，c_f 为抗折强度，f_y 为材料的最小强度。

2. 屈曲准则

腹板加劲肋的净惯性矩的计算，其有效宽度不超过 s 或者 $l/3$，其计算公式如下：

$$i = 0.17 l\, t^3 (l/s)^3 \, \mathrm{cm}^4, \quad l/s \leqslant 2.0 \tag{4-10}$$

$$i = 0.34 l\, t^3 (l/s)^2 \, \mathrm{cm}^4, \quad l/s > 2.0 \tag{4-11}$$

式中　l——加强筋之间的长度，cm；

　　　t——腹板要求的厚度，cm；

　　　s——加强筋间距，cm。

加强筋和法兰之间的腹板屈曲强度满足如下极限：

$$\left(\frac{f_{lb}}{f_{clb}}\right)^2 + \left(\frac{f_b}{f_{cb}}\right)^2 + \left(\frac{f_{lT}}{f_{clT}}\right)^2 \leqslant S_m \tag{4-12}$$

式中　f_{lb}——计算的均匀压应力，N/cm²；

　　　f_b——计算的理想弯曲应力，N/cm²；

f_{lT}——计算的总剪切应力，$\mathrm{N/cm}^2$；

f_{lb}、f_b——设计砰击压力下进行计算的结果；

f_{clb}、f_{cb}和f_{clT}——平均压应力、理想弯矩和剪切的情况下计算的极限值。

4.3　颤振简化计算方法

4.3.1　ABS颤振规范计算流程

在 ABS 相关规范中要求进行集装箱船砰击引起的颤振方面的计算，《ABS Rules for Building and Classing Steel Vessels（Steel Vessel Rules，or the Rules）》和《the ABS Guide for Application of Higher – Strength Hull Structural Thick Steel Plates in Container Carriers》这两个规范中都要求计算 whipping 对船体结构产生的影响。

规范中 whipping 引起的效应是建立在砰击计算的基础上，在计算砰击及其引起的结构响应的基础上可以进行 whipping 的计算。

砰击载荷可以引起局部结构的高冲击压力，同时也会引起船体梁二节点振动，这种振动被定义为颤振 whipping。

颤振引起的船体梁应力相对于波浪诱导应力来说属于高频应力，这种应力能够有效地施加到船体上，作用的时间一般为 $0.5 \sim 2 \mathrm{~s}$。在全船监测下可以明显观察到颤振现象，颤振可以导致船体二节点垂向弯矩极限值的增加，并且可以导致结构的疲劳损伤。

颤振评估流程如图 4.1 所示。

4.3.2　确定装载工况、航速及浪向

冲击载荷与船体及湿表面的相对运动有着密切的关系，而装载工况、船体瞬时速度，以及浪向等都影响着船体的运动，所以在计算之前首先要确定极限条件来计算冲击载荷及颤振响应。

装载工况的确定需要考虑到船体结构对于冲击载荷响应的敏感度，以及船首和船尾的几何形状，对于集装箱船来说艏部的外飘砰击对其影响较大。

假定颤振主要发生在迎浪的情况下，在计算时要求计算浪向角为 180°，165°和 150°的情况。

对于集装箱船颤振响应分析，主要载荷参数如下：艏部相对速度、艉部相对速度、艏部相对位移、艉部相对位移、船舯垂向弯矩。

响应幅算子 RAO 的计算要从迎浪到随浪进行，以 15°为一个步长，频率范围为 $0.2 \sim 1.8 \mathrm{~rad/s}$，以 0.05 为一个步长，波浪散步图和海浪谱的选择与砰击计算中介绍的相同。

4.3.3　船体运动分析

计算砰击压力时需要计算船体与波面的垂向相对速度和相对位移，可以利用简化的公式来进行计算。对于均匀装载的箱型船舶的垂荡和纵摇运动，以及其导致的垂向波浪诱导运动的频响函数可以利用线性切片法来计算。在波幅为 a 的规则波下运动公式如下：

$$2\frac{kd}{\omega^2}\ddot{w} + \frac{A^2}{kB\alpha^3\omega}\dot{w} + w = aF\cos(\omega_e t) \tag{4-13}$$

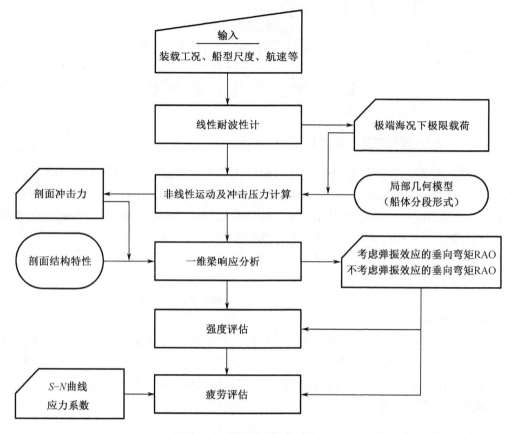

图4.1 颤振强度评估流程

$$2\frac{kd}{\omega^2}\ddot{\theta} + \frac{A^2}{kB\alpha^3\omega}\dot{\theta} + \theta = aF\sin(\omega_e t) \qquad (4-14)$$

式中　k——波数；

　　　ω——波浪频率；

　　　B——型宽；

　　　d——吃水。

遭遇频率 ω_e 如下：

$$\omega_e = \omega - kV\cos\beta \qquad (4-15)$$

式中　V——航速；

　　　β——浪向角。

总体来说，频域范围内计算船体运动和船体梁的响应比较节省时间，在频域内船体运动被认为是微幅简谐运动，利用边界元法可以解决该问题。砰击压力与船体在波浪中航行的垂向相对速度和相对位移有关，三维面元法可以用来计算相对位移和相对速度的响应幅算子。面元的网格划分要足够细，这样才能够解决辐射和绕射问题，否则精度达不到要求。

耐波性的计算是建立在势流理论的基础上的，所以在该计算中要考虑到黏性横摇阻尼。除了黏性阻尼外，也要计入舭龙骨和减摇鳍的横摇阻尼，在规范计算中可以根据经验定义总的计算阻尼为10%。

4.3.4　极限波浪条件

极限波浪条件定义为可以模拟长期主要载荷系数极限值的规则波,极限波浪可以通过定义波幅、波长、浪向和距离船舯的波峰位置等来模拟,对于每一个主要控制载荷,需要定义一个平均设计波。设计波的波幅由主要载荷响应幅算子的长期值来确定,最大的响应幅算子 RAO 发生在确定频率和浪向下,以此定义该设计波。

$$a_w = \frac{L_j}{\text{RAO}_j} \tag{4-16}$$

式中　L_j——第 j 个主要载荷的长期极限值;

　　　RAO_j——第 j 个主要载荷的最大值;

　　　a_w——第 j 个主要载荷的设计波平均波幅。

主要控制载荷的极限值可以通过长期分析的方法得到,响应超过 x_0 的概率定义为 $Pr\{x_0\}$,以短期海况的概率分布加和的形式来表达如下:

$$Pr\{x_0\} = \sum_i \sum_j p_i\, p_j\, Pr_j\{x_0\} \tag{4-17}$$

式中　p_i——第 i 个浪向的概率;

　　　p_j——第 j 个海况出现的概率;

　　　$Pr\{x_0\}$——短期响应超过 x_0 的第 j 个海况的概率;

　　　$Pr_j\{x_0\}$——船体相对速度超过极限值 x_0 的响应周期的总数 N 有关,其关系如下:

$$Pr_j\{x_0\} = \frac{1}{N} \tag{4-18}$$

$1/N$ 为超越概率水平,以 $20\sim25$ 年期为长期值,则超越概率水平定义为 10^{-8}。

4.3.5　冲击载荷的计算

冲击载荷是一种瞬时载荷,主要来源为底部砰击、外飘砰击和甲板上浪。对于集装箱船来说,外飘砰击是主要来源,外飘砰击与艏部外飘的几何结构及船体与波浪的相对速度有紧密联系,在该规范计算中,船头几何可近似视为楔,楔形单位长度上的瞬时冲击可以用一个简化公式来计算:

$$q(t) = 3\,C_p \rho g\, \dot{z}^3 t \ (\text{kN}) \tag{4-19}$$

式中　C_p——压力系数,$C_p = \pi^2/(4\tan^2\alpha)$,其中 α 为楔形的斜升角;

　　　ρ——海水密度;

　　　g——重力加速度;

　　　$\dot{z}$——砰击局部垂向相对速度;

　　　t——从楔尖撞水时开始测定的时间。

4.3.6　颤振引起的弯矩变化

颤振弯矩的计算可以采用模态分析法来进行模拟,全船监测显示颤振绕射主要出现在低阶二节点垂向振动的情况下,主要考虑垂荡和纵摇的运动。

冲击是瞬时的并且不与纵摇和升沉共振,只考虑二节点振动,船体梁垂向颤振绕射可以根据二节点振型进行简化计算:

$$u(x,t) = Cw(x)y(t) \tag{4-20}$$

$w(x)$是二节点振型,对于一根梁来说,在确定了质量分布和刚度之后,二节点振型可以近似计算:

$$w(x) = 7.95\left(\frac{x}{L}\right)^3 - 1.23\left(\frac{x}{L}\right)^2 - 4.58\left(\frac{x}{L}\right) + 1, \quad 0 \leqslant \frac{x}{L} \leqslant 0.5 \tag{4-21}$$

$$w\left(x + \frac{L}{2}\right) = w\left(\frac{L}{2} - x\right) \tag{4-22}$$

考虑到颤振弯矩与波浪弯矩的相位差,颤振弯矩可以被修正:

$$M_{\text{whipping}}(x, x_0) = \frac{\pi^2}{24}\rho g\, B_l^2\, \Omega\, \dot{z}\, \beta L \frac{S(x)}{M_0} w(x_0)\exp(-\xi \Lambda \varphi) \quad (\text{kN} \cdot \text{m}) \tag{4-23}$$

式中　ξ——二节点相对振动模态阻尼;

　　　φ——波浪弯矩与颤振弯矩的相位差;

　　　βL——按照$0.04\,L$来计算;

　　　Ω——船体梁二节点固有振动频率;

　　　L——船长。

$$\Lambda = T_z / T_2$$

其中　T_z——固定海况下的跨零周期;

　　　T_2——二节点振动的固有周期。

颤振弯矩标准差可以用相对垂向速度的标准差来表示:

$$S_{m,\text{whipping}}(x, x_0) = \frac{\pi^2}{24}\rho g\, B_l^2\, \Omega\, S_z\, \beta L \frac{S(x)}{M_0} w(x_0)\exp(-\xi \Lambda \varphi) \quad (\text{kN} \cdot \text{m}) \tag{4-24}$$

式中,S_z是相对垂向速度的标准差。

弯矩最大值定义为20年重现期的最大值,出现概率为10^{-8}。对于中垂弯矩,其最大值要比中拱最大值大很多,中垂与中拱弯矩需要分别计算。

4.3.7　疲劳损伤的计算

对于一个线性分段$S-N$曲线,疲劳累计损伤度的封闭的表达如下:

$$D = \frac{T}{K}(2\sqrt{2})^m \Gamma\left(\frac{m}{2} + 1\right)\sum_i \lambda(m, \varepsilon_1) f_{0i}\, p_i\, (\sigma_i)^m \tag{4-25}$$

式中　T——总疲劳寿命;

　　　K、m——$S-N$曲线的参数;

　　　f_{0i}——第i个海况下应力幅值的跨零频率;

　　　p_i——波浪散布图中第i个海况的出现概率;

　　　λ——宽带修正因子;

　　　σ_i——第i个海况应力幅值的标准差。

上面的公式是基于窄带高斯分布及 Miner 线性损伤理论,对于一个宽带过程,则需要增加一个宽带因子来进行修正。

疲劳损伤对于波浪频率的响应,应力的跨零频率可以计算如下:

$$f_0 = \frac{1}{2\pi}\frac{\sigma_2}{\sigma_0} \tag{4-26}$$

式中,σ_0和σ_2是应力响应的零阶矩和二阶矩,

$$\sigma_n^2 = \int_0^\infty \omega^n S(\omega)\,\mathrm{d}\omega \tag{4-27}$$

式中, $S(\omega)$ 为应力谱分布函数, 宽带修正因子计算公式如下:

$$\lambda(m, \varepsilon_i) = a(m) + [1 - a(m)][1 - \varepsilon_i]^{b(m)} \tag{4-28}$$

式中

$$a(m) = 0.926 - 0.033m \tag{4-29}$$

$$b(m) = 1.587m - 2.323 \tag{4-30}$$

$$\varepsilon = \sqrt{1 - \frac{\sigma_2^4}{\sigma_0^2 \sigma_4^2}} \tag{4-31}$$

考虑波浪频率和弹阵效应的应力响应是一个混合的稳态瞬时过程, 由于计及波浪频率的成分应力响应可以被认为是窄带高斯过程, 颤振引起的应力变换是一个随着时间衰减的瞬时高频过程。

疲劳损伤可以分解为包络过程引起的损伤和高频瞬时颤振引起的损伤, 对于瞬时过程, 其平均损伤如下:

$$D_{H,\text{whipping}} = \frac{T}{K}(2\sqrt{2})^m \Gamma\left(\frac{m}{2} + 1\right) \sum_i f_{0i}\, p_i\, \frac{\sigma_{i,\text{whipping}}^m}{1 - \exp(-2\pi\xi m)} \tag{4-32}$$

式中　$\sigma_{i,\text{whipping}}$——在第 i 个海况下由颤振引起的应力幅值变化的标准差;

ξ——结构阻尼。

由包络过程引起损伤的计算如下:

$$D_{ev} = (1 - \eta_{\text{whipping}})\frac{T}{K}(2\sqrt{2})^m \Gamma\left(\frac{m}{2} + 1\right) \sum_i f_{0i}\, p_i\, \sigma_{i,\text{wave}}^m +$$

$$\eta_{\text{whipping}}\frac{T}{K}(2\sqrt{2})^m \Gamma\left(\frac{m}{2} + 1\right) \sum_i f_{0i}\, p_i\, (\sigma_{i,\text{wave}} + \sigma_{i,\text{whipping}})^m \tag{4-33}$$

式中　η_{whipping}——颤振出现的概率, 其大小等于 $\exp\left\{-0.5\left(\frac{V_{cr}}{S_{\dot{z}}}\right)^2\right\}$;

V_{cr}——速度阈值, 大小为 $0.093\sqrt{Lg}$;

L——船长;

g——重力加速度。

计及颤振效应的总的疲劳损伤可以由上面两项的和来计算:

$$D = D_{H,\text{whipping}} + D_{ev} \tag{4-34}$$

颤振对于疲劳累计损伤的贡献可以定义为颤振引起的损伤与波浪频率导致的损伤之比:

$$\alpha_s = 1 + \frac{D_{\text{total}} - D_{\text{wave}}}{D_{\text{wave}}} \tag{4-35}$$

式中　D_{total}——计及颤振效应的疲劳损伤;

D_{wave}——波浪频率载荷引起的疲劳损伤;

α_s——计及颤振效应的疲劳贡献因子。

疲劳评估的目的在于得到由颤振引起的疲劳相对贡献率, 其结果可以用在总的疲劳损伤的计算中, 疲劳累积损伤度计算如下:

$$D_f = \frac{1}{6}\alpha_s \alpha_w (D_{f\_12} + D_{f\_34}) + \frac{1}{3}D_{f\_56} + \frac{1}{3}D_{f\_78} \tag{4-36}$$

式中　α_w——考虑颤振疲劳损伤因子；

　　　α_s——考虑波激振动的疲劳损伤因子。

D_{f_12}、D_{f_34}、D_{f_56}和D_{f_78}为不同工况组合 1 和 2、3 和 4、5 和 6、7 和 8 下的疲劳累积损伤度，其具体计算过程可以参考《ABS Rules for Building and Classing Steel Vessels（Steel Vessel Rules，or the Rules》）。

4.4　波激振动简化计算

波激振动现象是波浪诱导的船体梁的振动，其主要的诱发因素是波浪遭遇频率与船体固有振动频率产生共振。最重要的波激振动频率等于船体二节点垂向固有振动频率，而当波浪遭遇频率等于固有振动频率的一半时由于二阶谐振的原因也会诱发共振。尽管波激振动对于船体梁载荷的极限值影响可能并不明显，但是其造成的疲劳载荷的增加确实是需要考虑的因素。

该规范作为 ABS 规范的一个补充规范，提供了一套详细的计算流程，计算简便并可以快速针对波激振动对疲劳强度的影响做出评估，这在船舶设计阶段可以为其提供理论依据。规范计算是建立在水动力分析及结构响应分析的基础上的。

4.4.1　波激振动计算流程

按照规范，波激振动的计算流程应包含以下步骤：

(1)把船作为刚体计算垂向弯矩及应力响应幅算子 RAO；

(2)把船作为刚体同时考虑到二节点振动，计算垂向弯矩及应力响应幅算子 RAO；

(3)把船作为刚体计算应力响应和疲劳损伤；

(4)把船作为刚体同时考虑到二节点振动，计算应力响应和疲劳损伤；

(5)把船作为刚体计算总疲劳损伤；

(6)把船作为刚体同时考虑到二节点振动，计算总疲劳损伤；

(7)计算波激振动对疲劳损伤贡献率。

4.4.2　确定航速及浪向

在高海况下，航速会由于波浪增阻的原因被降低，在 ABS 规范中推荐采用如下航速进行计算，如表 4.4 所示。

表 4.4　波激振动航速计算表

有义波高/(H_s/m)	航速/kn
$0 < H_s \leq 6.5$	100% V_d
$6.5 < H_s$	25% V_d

V_d 为设计航速，而对于波激振动的计算，认定波激振动主要发生在迎浪航行的状态下，所以规范中推荐采用 3 个浪向进行计算，包括 180°迎浪、165°和 150°艏斜浪等 3 种状况。

4.4.3　波激振动敏感度判定

波激振动并不是在所有工况及海况下都发生,而是需要进行判定,在判定波激振动是否产生之前,首先要计算船体梁固有振动频率,并以此作为依据来判定

$$\omega_n = \mu\left[I_v/\Delta_i L^3\right]^{0.5} \qquad (4-37)$$

式中　$\mu = 321\ 500$;

　　　I_v——惯性矩;

　　　L——船长;

　　　Δ_i——虚拟排水量,包括附连水质量 $=\left[1.2 + B/(4\ d_m)\right]\Delta$。

其中　B——船宽;

　　　d_m——平均吃水;

　　　Δ——排水量。

波激振动是波浪诱导产生的,如果船体固有振动频率接近波浪遭遇频率,波激振动效果将会非常明显,所以判定是否产生明显的波激振动现象是要进行的第一步计算。

动力响应的放大系数可以从零到一个非常高的水平,所以解决该问题实际上是一个动力响应的问题。对于一个集装箱船来说,波激振动敏感判定因子可以建立在船体梁固有振动频率及波浪跨零率的基础上,波激振动指示算子可以定义如下:

$$\eta = \frac{\left[5\left(\dfrac{4.46}{T_z} + \left(\dfrac{4.46}{T_z}\right)^2 \dfrac{V}{g}\right)\right]}{\left(\dfrac{E I_v}{\Delta_i L^3}\right)^{0.5}} \qquad (4-38)$$

式中　T_z——跨零周期;

　　　V——船体航速;

　　　g——重力加速度;

　　　E——钢的杨氏模量,取 $2.06 \times 10^7\ \mathrm{N/cm^2}$。

定义的该指示算子 $\eta < 1$,则不需要进行波激振动的计算,否则便认为波激振动较为明显,需要进行更细致的计算。通常情况下,越大的波浪伴随着越长的周期,一般这种情况下不会发生波激振动。

4.4.4　垂向弯矩的计算

垂向弯矩 RAO 是指船舶在单位规则波正弦波中航行的动力响应,该规范计算的目的在于给出波激振动对于疲劳损伤的贡献,这个贡献的大小可以定义为一个比例值,当把船体当成刚体,不考虑波激振动的情况下按照规范计算其疲劳损伤,之后再计算考虑到二节点固有振动的情况下,计算总的疲劳损伤,这样就可以得到波激振动对于疲劳的贡献率。

把船作为刚体计算垂向弯矩的响应幅算子 RAO 可以通过传统的耐波性计算来完成,可以得到六自由度刚体的运动情况。频率三维面元法可以用来完成该计算,在计算时极限阻尼可以定义为 10%。

把船体当作弹性体来计算垂向弯矩 RAO 与刚体计算类似,但是为了把计算程序延展到弹性体上,需要考虑二节点垂向振动的影响。二节点振动模态可以采用三维有限元模型来计算,或者采用一个一维均匀梁模型来计算。对于均匀梁模型的计算,可以把梁按照船舶

装载工况分割成很多段来模拟质量分布、剪切刚度和弯曲刚度质量惯性矩。

在计算耐波性时需要考虑二节点振动模态与波浪的相互作用，可以通过定义总附加质量和阻尼来计算二节点振动模态。波浪频域计算应该覆盖面较大，一般情况下可以从 $0.2 \sim 10$ rad/s 来计算。波激振动阻尼的定义非常重要，总的阻尼包括结构阻尼、货物阻尼和水动力阻尼等。水动力阻尼可以通过程序来计算，这方面的研究较为成熟，但是结构阻尼和货物阻尼的幅值很难计算，对于压载和满载工况一般可以采用 $1.5\% \sim 3\%$ 作为阻尼系数来计算。

一般认为波激振动主要来自二节点垂向振动，其应力响应可以计算如下：

$$\sigma(\omega,\beta) = VBM(\omega,\beta)/k \qquad (4-39)$$

式中，k 是应力影响因子，其可以通过剖面模量在船所在的位置来近似；ω 是波浪频率；β 是浪向角；$VBM(\omega,\beta)$ 是垂向弯矩 RAO。

通过上面的简化计算可以快速得到计算结果，其目的是计算波激振动对疲劳强度的贡献。相同的应力影响因子可以用来计算刚体应力 RAO 和考虑到二节点振动的应力 RAO。

4.4.5　动力响应计算

对于每一个海况，谱密度函数定义为 $S_M(\omega,\beta)$，β 为浪向角，动力响应看作是线性变换：

$$S_M(\omega,\beta) = S_w(\omega)\,|H(\omega,\beta)^2| \qquad (4-40)$$

式中　$H(\omega,\beta)$——响应幅算子；

ω——波浪圆频率。

对固定航速的集装箱船，其在浪向角为 β_0 的 n 阶矩为

$$m_n = \sum_{\beta_0-\frac{\pi}{2}}^{\beta_0+\frac{\pi}{2}} \left[\int_0^\infty f(\beta)\,\omega_e^n\,S_y(\omega,\beta_0)\,\mathrm{d}\omega \right] \qquad (4-41)$$

式中　$f(\beta)$——传递函数；

ω_e——遭遇频率。

对于二阶的方法，响应谱从三方面因素来确定：线性响应谱，另外两个因素为二阶分量，其中较慢的分量为频率差 $(\omega_r - \omega_s)$，较快的分量为频率和 $(\omega_r + \omega_s)$。

响应谱的快速和慢速变化率可以表示如下：

$$S_{M(2)}^-(\omega_r,\beta) = \sum_{\substack{t=1 \\ s=r+t}}^{n-r} 8\,|(H_{st(2)}^-)^2|\,S(\omega_s)S(\omega_t)\Delta\omega \qquad (4-42)$$

$$S_{M(2)}^+(\omega_r,\beta) = \sum_{\substack{t=\max(1,r-n) \\ s=r-t}}^{\min(n,r-1)} 8\,|(H_{st(2)}^+)^2|\,S(\omega_s)S(\omega_t)\Delta\omega \qquad (4-43)$$

式中　$\omega_t = t\Delta\omega$；

H^-、H^+——快速变化和慢速变化的传递函数。

4.4.6　波浪频率响应疲劳损伤

疲劳评估包括下面三个步骤：

（1）评估不考虑波激振动的疲劳损伤；

（2）评估考虑到波激振动的疲劳损伤；

（3）计算波激振动对疲劳损伤的贡献率。

对于一个分段线性 $S-N$ 曲线,疲劳损伤可以用一个闭合的表达形式来计算:

$$D = \frac{T}{K} \left(2\sqrt{2}\right)^m \Gamma\left(\frac{m}{2} + 1\right) \sum_i \lambda(m, \varepsilon_1) f_{0i} p_i (\sigma_i)^m \tag{4-44}$$

式中　T——总疲劳寿命;

　　K, m——与 $S-N$ 曲线有关的参数;

　　f_{0i}——交变应力的跨零率;

　　p_i——海浪谱中第 i 个海况发生的概率;

　　λ——宽带修正因子;

　　σ_i——第 i 个海况应力幅值的标准差。

该疲劳损伤计算公式是建立在 Miner 线性损伤理论上的窄带高斯过程,对于宽带过程,需要定义一个修正因子:

$$f_0 = \frac{1}{2\pi} \frac{\sigma_2}{\sigma_0} \tag{4-45}$$

σ_0 和 σ_2 为应力响应的零阶矩和二阶矩,定义如下:

$$\sigma_n^2 = \int_0^\infty \omega^n S(\omega) \mathrm{d}\omega \tag{4-46}$$

$S(\omega)$ 为应力谱分布函数,宽带修正系数计算如下:

$$\lambda(m, \varepsilon_i) = a(m) + [1 - a(m)][1 - \varepsilon_i]^{b(m)} \tag{4-47}$$

式中

$$b(m) = 1.587m - 2.323 \tag{4-48}$$

$$\varepsilon = \sqrt{1 - \frac{\sigma_2^4}{\sigma_0^2 \sigma_4^2}} \tag{4-49}$$

4.4.7　考虑波激振动效应的疲劳损伤

考虑波激振动的船体梁响应是一个宽带过程,包括一个正常的波浪诱导和一个高频成分,高频成分则是二节点振动频率导致的。所以,响应可以分为两个窄带过程:波频范围和高频范围。这两部分响应的标准差可以表示如下:

$$\sigma_{\text{wave}-n}^2 = \int_0^{\omega_1} \omega^n S(\omega) \mathrm{d}\omega \tag{4-50}$$

$$\sigma_{\text{springing}-n}^2 = \int_{\omega_1}^\infty \omega^n S(\omega) \mathrm{d}\omega \tag{4-51}$$

上式中 ω_1 为波频和高频的分割点,规范计算中推荐使用 2.0 作为集装箱船的分割点。波频应力和波激振动的跨零频率计算如下:

$$f_{\text{wave}} = \frac{1}{2\pi} \frac{\sigma_{\text{wave}-2}}{\sigma_{\text{wave}-0}} \tag{4-52}$$

$$f_{\text{springing}} = \frac{1}{2\pi} \frac{\sigma_{\text{springing}-2}}{\sigma_{\text{springing}-0}} \tag{4-53}$$

对于波频和波激振动的宽带响应导致的总疲劳损伤可以通过三个因素来定义:混合应力的标准差、跨零频率和应力循环修正因子,计算过程如下:

$$\sigma_I = \left(\sigma_{\text{springing}-0}^2 + \sigma_{\text{wave}-0}^2\right)^{1/2} \tag{4-54}$$

$$f_{0i} = (f_{\text{springing}}^2 \sigma_{\text{springing}-0}^2 + f_{\text{wave}}^2 \sigma_{\text{wave}-0}^2)^{1/2} / \sigma_i \qquad (4-55)$$

应力循环修正因子可以计算如下：

$$\lambda = \frac{v_p}{v_c} \left[\lambda_H^{\frac{m}{2}+2} \left(1 - \left(\frac{\lambda_w}{\lambda_H} \right)^{1/2} \right) + (\pi \lambda_w \lambda_H)^{1/2} \frac{m \Gamma \left(\frac{m}{2} + \frac{1}{2} \right)}{\Gamma \left(\frac{m}{2} + 1 \right)} \right] + \frac{v_w}{v_c} \lambda_w^{m/2} \qquad (4-56)$$

式中　$v_p = \lambda_w \lambda_H \left[1 + \frac{\lambda_w}{\lambda_H} \left(\frac{v_w}{v_H} \varepsilon \right)^2 \right]^{1/2}$；

$v_c = (\lambda_H v_H^2 + \lambda_w v_w^2)^{1/2}$；

$\lambda_H = \sigma_{\text{springing}}^2 / \sigma_i^2$；

$\lambda_w = \sigma_{\text{wave}}^2 / \sigma_i^2$；

$v_H = f_{\text{springing}}$；

$v_w = f_{\text{wave}}$；

其中，$\varepsilon = \sqrt{1 - \dfrac{\sigma_{\text{wave}-2}^4}{\sigma_{\text{wave}-0}^2 \sigma_{\text{wave}-4}^2}}$。

4.4.8　波激振动疲劳贡献率计算

波激振动疲劳贡献可以通过定义为波激振动诱导的疲劳损伤与波频引起的疲劳损伤的比值来定义：

$$\alpha_s = 1 + \frac{D_{\text{total}} - D_{\text{wave}}}{D_{\text{wave}}} \qquad (4-57)$$

式中　D_{total}——计及波激振动的总疲劳损伤；

　　　D_{wave}——波频引起的疲劳损伤；

　　　α_s——波激振动引起的疲劳损伤因子。

4.4.9　疲劳损伤评估

该规范对疲劳评估的目的在于获得波激振动对疲劳强度的贡献，其评估的结果可以用来对集装箱船的总疲劳评估。疲劳累计损伤度计算如下：

$$D_f = \frac{1}{6} \alpha_s \alpha_w (D_{f\_12} + D_{f\_34}) + \frac{1}{3} D_{f\_56} + \frac{1}{3} D_{f\_78} \qquad (4-58)$$

式中　α_w——计及颤振的疲劳损伤因子；

　　　α_s——计及波激振动的疲劳损伤因子；

　　　D_{f_12}、D_{f_34}、D_{f_56} 和 D_{f_78}——工况组合的疲劳累积损伤，具体可按相关规范进行计算。

4.5　砰击计算结果分析

ABS 相关规范的实船计算部分采用 16 000TEU 超大型集装箱为目标船,计算共包括三部分内容:首先进行该集装箱船的砰击载荷及强度评估,而后在此基础上进行颤振的计算,然后进行船体在波浪中运动的波激振动响应的评估,在这三部分计算完成后,计算颤振及波激振动对船体疲劳强度的影响。

超大型集装箱船的砰击强度计算的目的是确定船舶在极端海况下航行时的结构安全性,考虑到船体首部的设计进行外飘砰击载荷和强度的评估,计算采用 ABS 在 2014 年提出的规范方法,砰击压力系数的计算是在势流理论的基础上采用边界元法来实现的,这样砰击压力就可以加载到有限元模型上,从而进行下一步的结构评估。

同时该部分计算时,根据 ABS 相关规范进行了船体主要支撑结构的屈服和屈曲强度的评估。

4.5.1　船舶装载工况

在计算外飘砰击时计算了结构吃水的工况:每个集装箱装载 14 T,满载离港。
结构吃水离港装载工况如图 4.2 所示。

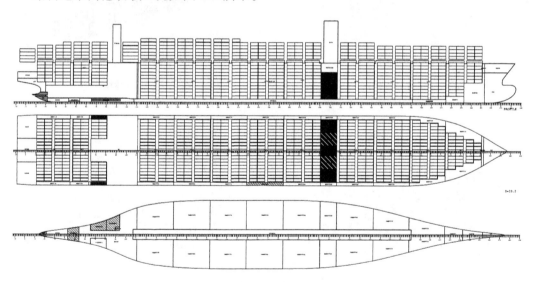

图4.2　结构吃水离港装载工况

4.5.2　有限元模型计算

船首建模从前端开始到后端货舱壁为止,四边形单元用于构建腹板和主要支撑结构,杆单元用于模拟梁。船首的模型如图 4.3 所示。

边界条件、横向结构板厚和外板板厚示意图如图 4.4 至图 4.6 所示。

1. 边界约束

为了评估砰击效应,有限元模型需要加约束,在艉部的尾端加固定约束,在主甲板的边缘节点上固定约束,艏部外盘砰击压力云图如图 4.7 所示。

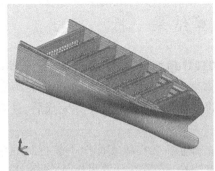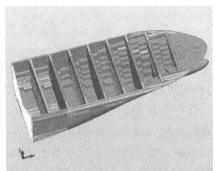

有限元模型的等距视图　　　　　　　　有限元模型的几何视图

图 4.3　有限元模型

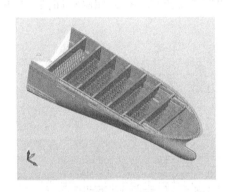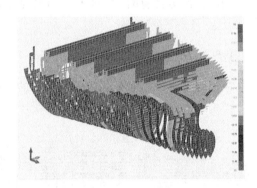

图 4.4　边界条件　　　　　　　　图 4.5　横向结构板厚

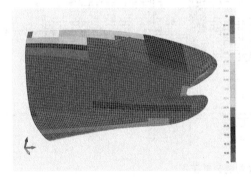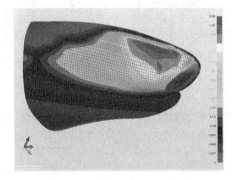

图 4.6　外板板厚示意图　　　　　　图 4.7　艏部外盘砰击压力云图

2. 砰击压力的加载

　　设计砰击载荷的计算来源于二维的方法,为了实现三维的计算,载荷需要加载到三维有限元模型上。在加载过程中需要采用一个瞬时载荷系数,此处在计算外飘砰击时按照规范的要求,该系数取 0.71,砰击载荷加载后可以计算三个方向剖面的云图,分为横向剖面、纵向剖面和水平剖面,部分典型横向剖面计算结果如图 4.8 至图 4.21 所示。

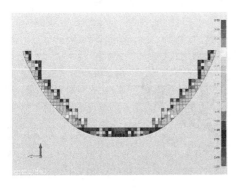

图 4.8 艏部外飘砰击压力云图
（Fr − 385, MPa）

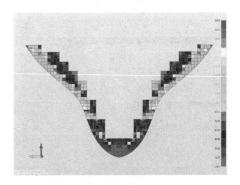

图 4.9 艏部外飘砰击压力云图
（FR − 397, MPa）

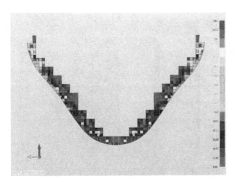

图 4.10 艏部外飘砰击压力云图
（FR − 407, MPa）

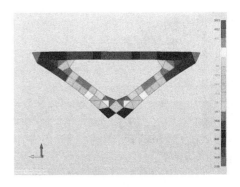

图 4.11 艏部外飘砰击压力云图
（FR − 447, MPa）

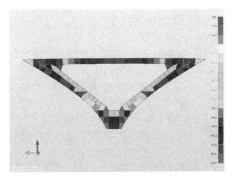

图 4.12 艏部外飘砰击压力云图
（FR − 471, MPa）

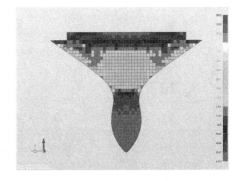

图 4.13 艏部外飘砰击压力云图
（FR − 447, MPa）

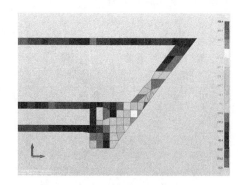

图 4.14　艏部外飘砰击压力云图
（FR – 453, MPa）

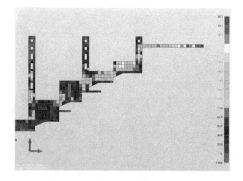

图 4.15　艏部外飘砰击压力云图
（FR – 477, MPa）

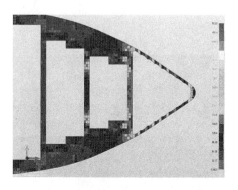

图 4.16　艏部外飘砰击压力云图
（25 801ABL, MPa）

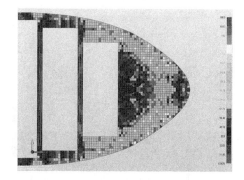

图 4.17　艏部外飘砰击压力云图
（Main Deck, MPa）

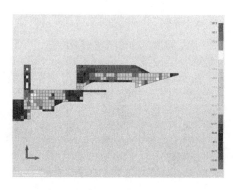

图 4.18　艏部外飘砰击压力云图
（21 653 Off CL, MPa）

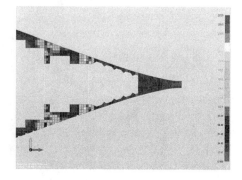

图 4.19　艏部外飘砰击压力云图
（10 267ABL, MPa）

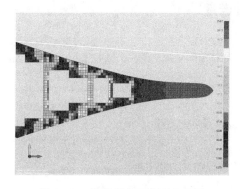

图 4.20　艏部外飘砰击压力云图
（12 856ABL，MPa）

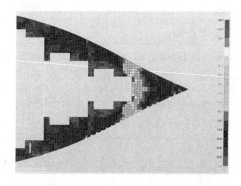

图 4.21　艏部外飘砰击压力云图
（20 623ABL，MPa）

4.5.3　屈服评估结果

根据 Von-Mises 等效应力，计算结果中不合格位置如表 4.5 所示。

表 4.5　板单元 Von-Mises 等效应力计算结果

板厚/mm	最大应力/MPa	许用应力/MPa	评估结果
PL20/H36	324.5 *	304.7	NO
PL23/H32	334.8 *	283.3	NO
PL22/H32	283.4 *	283.3	NO
PL20/H32	300.2 *	283.3	NO

4.5.4　屈曲评估结果

按照屈曲评估准则，外板的屈曲评估时，要求其厚度不能低于 t_1 或 t_2，采用的材料为 20AH36，按照评估准则达到了标准，评估结果如表 4.6 所示。

纵骨及加强结构，包括一些关联的板单元的评估结果如表 4.7 所示。

卡槽连接处的评估是集装箱船的强度评估受到关注的地方，该部分结构强度的计算结果如表 4.8 所示。

表 4.6　舷侧结构检查

Shell plating				
The net thickness of the shell plating is not to be less than t1 or t2, which is grester obtained from the following equations:				

t1 = 0.73 * s * (k1 * ps/f1)^0.5	=	13.49	mm	
t2 = 0.73 * s * (k2 * ps/f2)^0.5	=	15.88	mm	Select in fact:20AH36　OK!

s	=	821.0	spacing of longitudinal or transverse frames, mm.
k1	=	0.342	0.342for longitudinal stiffened plating;
			0.5k^2 for transverse stiffened plating
k2	=	0.5	0.5, for longitudinal stiffened plating.
			0.342, for transverse stiffened plating.
k	=	1.0	$[3.075(\alpha)^{1/2} - 2.077]/(\alpha + 0.272)(1 \leqslant \alpha \leqslant 2)$.
			1, for $\alpha > 2.0$.
α	=	2.93	asoect ratio of the panel. Longer edge/shorter edge.
ps	=	43	slamming pressure, N/cm^2
f1	=	29010.6	0.90 * Sm * fy or 0.75 * Sm * fy or 0.95 * Sm * fy, N/cm^2
f2	=	30622.3	0.95 * Sm * fy, N/cm^2
Sm	=	0.908	strength reduction factor, 1.0/0.95/0.908/0.875.
fy	=	35500	minimum specified yield point of the material, in N/cm^2

表 4.7　纵骨以及加强结构检查

Shell longitudinals and stiffeners				
The section modulus of the shell longitudinal, including the associated effective plating, is not to be less than that obtained from the following equations:				

SM =	M/fb	=	596.281	cm^3
M = ps * s * 1^2 * 10^3/k		=	17298470.0	N – cm

k	=	16.0	16	
ps	=	43	design slamming pressure, N/cm^2.	
s	=	821	spacing of longitudinal or transverse frames, in mm.	
l	=	2.8	unsupported span of the frame, in m.	
fb	=	29010.6	0.90 * Sm * fy or 0.8 * Sm * fy or 0.95 * Sm * fy, in N/cm^2	
Sm	=	0.908	strength reduction factor, 1.0/0.95/0.908/0.875.	
fy	=	35500	minimum specified yield point of the material, in N/cm^2	

Select in fact	L300X90X12/17 AH36
SM of long. s	740.4　cm^3　OK!

表 4.8　卡槽连接处结构检查

Shot connections		
Each slot connection under the design slamming pressure is to be verified using the following formulae：		

OK!

σ_{fb} =	P1/As	=	5549.2	N/cm^2	< Sm * fy	32234.0
τ_{dc} =	P2/Ac	=	10698.0	N/cm^2	< 0.42 * Sm * fy	13538.3

P1	=	116533.0	load transmitted through flat bar stiffener, in N.
P2	=	641879.5	load transmitted through shear connection, in N.
ps	=	43	slamming pressure, N/cm^2
s	=	85	spacing of longitudinal/stiffener, in cm.
l	=	250	spacing of transverses, in cm.
As	=	21	attached area of the bar stiffener, in cm^2.
Ac	=	60	effective shear sectional area of the support or of both supports for double-sided suppport, in cm^2.
A_{ld}	=	30	shear connection area excluding lug plate, in cm^2.
l_d	=	20	length of direct connection between longitudinal stiffener and transverse member. in cm.
t_{tw}	=	1.5	thickness of transverse member, in cm.
A_{lc}	=	30	shear connection area of lug plate, in cm^2.
l_c	=	20	length of connection between longitudinal stiffener and lug plate, in cm.
t_c	=	1.5	thickness of lug plate, not to be taken greator than thickness of adjcent tranv. Member, in cm.
f_l	=	0.85	shear stiffness coefficient, 1.0 or 14/W
W	=	16.5	width of the cut-out for the asymmetrical stiffener.
f_c	=	0.6964	collar load factor.
Sm	=	0.908	strength reduction factor, 1.0/0.95/0.908/0.875.
fy	=	35500	minimum specified yield point of the material, in N/cm^2.

4.5.5　针对计算结果提出改进方法

砰击载荷加载后计算屈服及屈曲,计算结果可以看出有些结构所用材料或者板厚不能满足要求,按照计算结果给出相应的修改建议如图 4.22 所示。

对于肋位 FR456、FR459、FR462、FR465、FR468、FR471、FR474、FR477 的横向加强框架结构其材料需要改为 T - 1700x18w + 200x25F,其他修改意见如图 4.23 至图 4.25 所示。

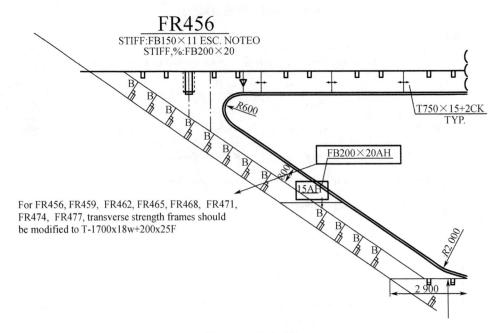

For FR456, FR459, FR462, FR465, FR468, FR471, FR474, FR477, transverse strength frames should be modified to T-1700x18w+200x25F

图 4.22　修改建议

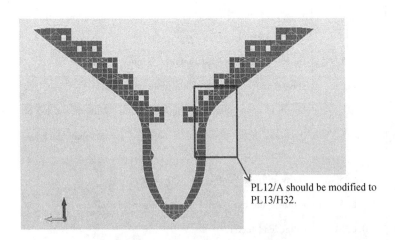

PL12/A should be modified to PL13/H32.

图 4.23　横向框架(FR443)改进建议

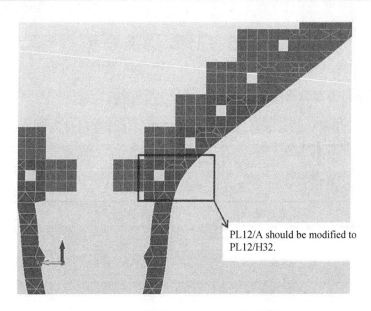

图 4.24　横向框架(**FR439**)改进建议

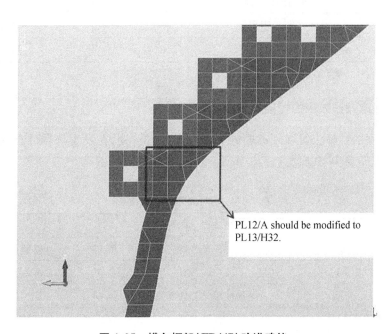

图 4.25　横向框架(**FR447**)改进建议

4.6 颤振计算结果分析

4.6.1 颤振计算参数设定

与砰击计算采用同一条目标船,在计算颤振方面具体计算时首先要设定一些针对目标船的参数,具体结果如表 4.9 所示。

表 4.9 颤振参数设定

计算时间/年	25
垂向弯矩评估位置	0.05
外飘系数	0.146
砰击位置	0.45
砰击相位角	30
甲板上浪相位角	300
二节点阻尼	0.01
斜升角	37

4.6.2 考虑颤振效应的短期极限值计算

相对加速度的计算位置取距离船舯 $L/20$(L 为船长)处,在发生外飘砰击的海况下进行计算,具体结果如表 4.10 所示。

表 4.10 相对加速度计算结果

波浪诱导垂向加速度				
加速度/(m/s²)	有义波高	周期	航速	浪向
5.080 191	13.8	9.5	0.25	90
纵摇波浪诱导扭转加速度				
加速度/(m/s²)	有义波高	周期	航速	浪向
291.085 358	13.8	9.5	0.25	90
迎浪:波浪诱导垂向加速度				
加速度/(m/s²)	有义波高	周期	航速	浪向
0.729 09	14.8	13.5	0.25	180
迎浪:波浪诱导扭转加速度(纵摇)				
加速度/(m/s²)	有义波高	周期	航速	浪向
53.735 386	14.8	13.5	0.25	180

表 4.10（续）

颤振引起的垂向加速度				
加速度/(m/s²)	有义波高	周期	航速	浪向
−1.560 965	14.6	10.5	0.25	120

颤振引起的扭转加速度				
加速度/(deg/s²)	有义波高	周期	航速	浪向
69.619 781	14.6	10.5	0.25	120

迎浪:颤振诱导加速度				
加速度/(m/s²)	有义波高	周期	航速	浪向
−1.475 525	8.2	6.5	0.75	180

迎浪:颤振引起的扭转加速度				
加速度/(deg/s²)	有义波高	周期	航速	浪向
68.544 395	8.2	6.5	0.75	180

　　短期弯矩的极限值的计算仍然取距离船舯 $L/20$ 处,计算要分中垂及中拱等不同情况,并且考虑到线性与非线性的差别,从计算结果可以看出颤振引起的弯矩变化在 25% 左右,在计算时是不可忽略的成分,具体结果如表 4.11 所示。

表 4.11　弯矩计算结果

计算途径	中垂线性	中垂非线性	中垂总计	颤振效应
程序计算	13 778.92	17 331.92	21 401	23.48%
规范计算	12 599.32	15 119.18	—	—
程序/规范	1.09	1.15	—	—
计算途径	中拱线性	中拱总计	颤振效应	
程序计算	13 778.92	17 230.34	25.05%	
规范计算	10 802.95	10 802.95	—	—
程序/规范	1.28	1.59	—	—

　　短期海况剪切应力的极限值计算结果如表 4.12 所示。

表 4.12　剪切应力极限值计算

计算途径	中垂线性	中垂非线性	中垂总计	颤振效应
程序计算	67 482.73	84 883.68	10 4812.2	23.48%
规范计算	63 599.27	—	—	—

4.6.3　疲劳损伤计算

通过上面的计算可知,在距离船舯 $L/20$ 处,中垂弯矩增加 23.4%,中拱弯矩增加 25.5%,剪切应力增加 23.8%。因为,无论是弯矩还是剪切,由于颤振的影响基本都增加了 20%~25%,而与之相关的疲劳损伤也会有所增加,在计算完成后汇总颤振对疲劳损伤度的影响,其结果达到了 22%,这个标准符合 ABS 规范的要求,具体计算结果如表 4.13 所示。

表 4.13　疲劳损伤计算

项目	线性	非线性	总计	增加/%
中垂弯矩/(MN·m)	13 778.92	17 331.92	21 401.0	23.48
中拱弯矩/(MN·m)	13 778.92	——	17 230.34	25.05
剪切/kN	67 482.73	84 883.68	104 812.16	23.48
疲劳	24.445	28.303	34.538	22.0

4.7　波激振动计算结果分析

4.7.1　波激振动效应初始评估

在计算波激振动效应之前首先要确定惯性矩,船舯惯性矩可以通过全船有限元模型来计算。弯曲刚度的计算只考虑纵向连续构件。二节点固有振动频率可以通过之前介绍的经验公式来计算,惯性矩和固有振动频率计算结果如表 4.14 所示。

表 4.14　惯性矩和固有振动频率

项目	结果
船舯惯性矩/m⁴	1 338.322
Kumai 二节点固有振动频率/(rad/s)	2.171 7

在计算波激振动时,首先要进行判定,在哪种海况下会发生波激振动现象,在发生波激振动现象的情况下需要进行下一步的评估计算,所以按照计算流程中介绍的方法,波激振动敏感因子计算结果如表 4.15 所示。

表 4.15　波激振动敏感因子计算

Tz/Speed/(s/kn)	5	10	15	20	25
5	1.488	1.770	2.053	2.335	2.617
6	1.201	1.397	1.593	1.789	1.985
7	1.006	1.149	1.293	1.437	1.581

表 4.15（续）

Tz/Speed/(s/kn)	5	10	15	20	25
8	0.864	0.974	1.084	1.195	1.305
9	0.757	0.844	0.931	1.018	1.105
10	0.674	0.744	0.815	0.885	0.956
11	0.607	0.665	0.723	0.781	0.840
12	0.552	0.601	0.650	0.698	0.747
13	0.506	0.547	0.589	0.631	0.673

如图 4.26 所示，敏感因子 η 的值由固有频率的最低要求导出，要求 $\eta < 1$ 可以不考虑波激振动效应，若制定航速和周期 $\eta > 1$，则波激振动直接计算分析就是必要的。

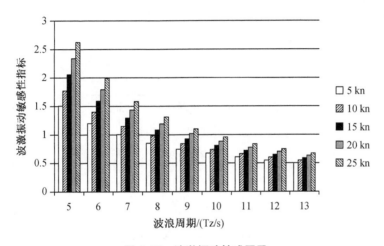

图 4.26　波激振动敏感因子

4.7.2　二节点振动模态计算

二节点振动模态可以用一个简化的变截面梁来计算。对于梁模型，船体可以分为一些小段，该算例中分为 21 段。弯曲刚度的计算要包含纵向连续构件，各个分段的弯曲刚度沿着全船的分布。

计算浮力沿船长分布需要考虑史密斯修正，每一个切片没入水中的部分可以通过有限元模型获得，没入部分如图 4.27 所示。

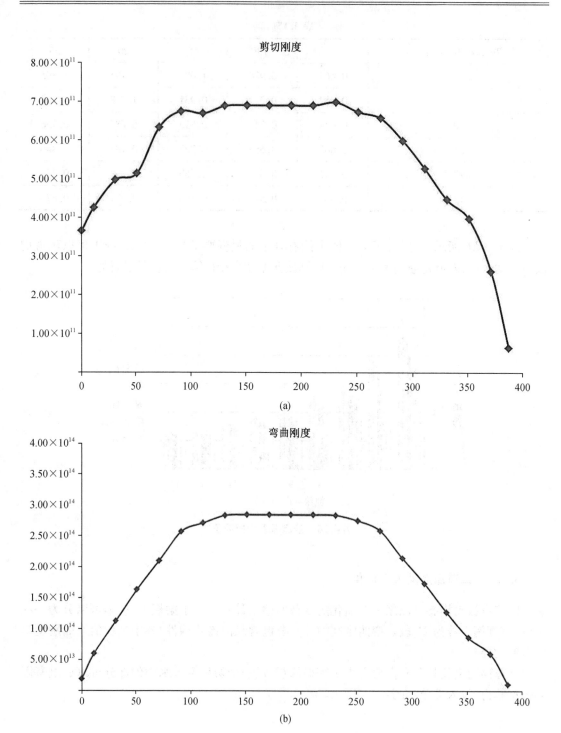

图 4.27　剪切刚度和弯曲刚度

4.7.3　垂向弯矩响应

波激振动的计算包括三个浪向：180°、165°和150°迎浪。计算的应力响应先进行标准化，各工况下垂向弯矩响应谱计算结果如图 4.28 至图 4.34 所示。

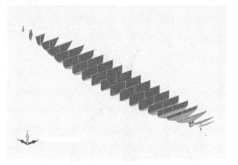

图 4.28　剖面浸没部分

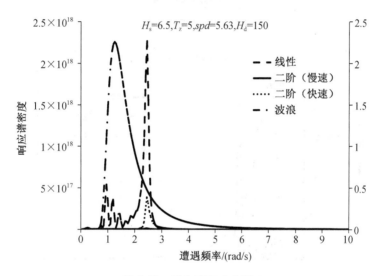

图 4.29　垂向弯矩响应谱 1

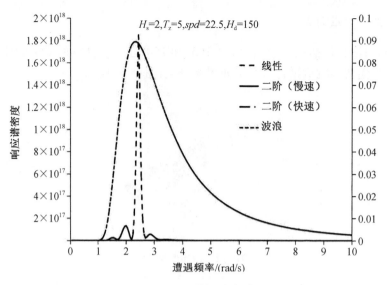

图 4.30　垂向弯矩响应谱 2

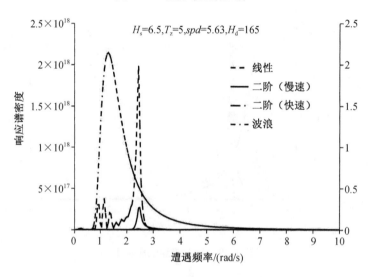

图 4.31　垂向弯矩响应谱 3

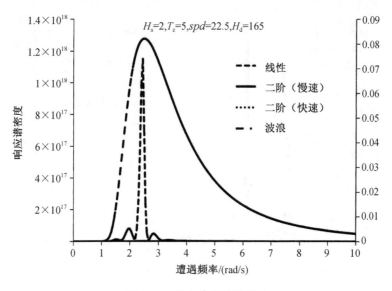

图 4.32　垂向弯矩响应谱 4

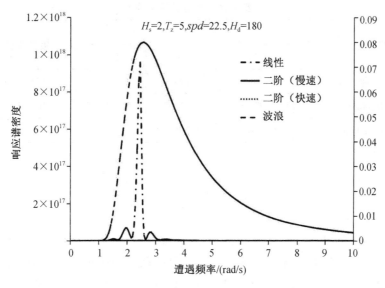

图 4.33　垂向弯矩响应谱 5

4.7.4　计算结果

针对每一工况、海况、航速及浪向进行短期疲劳损伤预报,ABS 波激振动分析中可以采用三种方法进行疲劳损伤计算:Jiao-Moan、Wirching 和线性方法。假定 0°～180°疲劳损伤为1,则其他疲劳计算结果如表 4.16 所示。

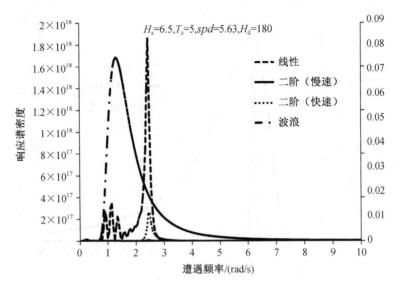

图4.34　垂向弯矩响应谱6

表4.16　疲劳计算结果

计算方法	浪向			疲劳损伤	判定
	150°	165°	180°		
Wirsching 和 Light	0.230 1	0.195 3	0.184 6	0.610 0	OK
Jiao 和 Moan	0.274 9	0.233 7	0.220 9	0.729 5	OK
Linear Method	0.216 7	0.184 7	0.174 8	0.576 2	OK

4.8　结 果 分 析

砰击压力系数的计算公式太保守,应适当放宽,可以根据船模实验或三维理论预报进行修正。三维修正系数直接采用0.83来计算不够细致,应根据不同艏部外飘设计进行修改,或根据外飘系数的不同给出较为合理的计算公式。二节点振型的计算不建议采用经验公式来完成,可以通过三维有限元法来进行计算,这样计算的结果会更准确。

规范中波激振动敏感因子等于峰值频率与二节点固有振动频率比值的三倍,当该数值小于1时认为不会发生较为明显的波激振动,也就是说当二节点固有振动频率大于峰值频率三倍时就不考虑波激振动效应,这种算法会忽略高阶项的影响,从而导致计算不够准确,同时对于不同的装载工况该敏感因子应该略有不同。

在计算波激振动时,规范中定义结构阻尼为1.5% ~ 3%,这时船体为一个弱阻尼系统,通过第2章的分析可以看出,此时频率响应方法会失效,可以通过一个小幅修正来完善,即在响应计算时乘以一个修正因子,这样可以提高计算的准确度。在程序直接计算的过程中针对这些方面的问题进行了修正,并提出了解决的方法,从而使得计算更加准确。

4.9　本　章　小　结

ABS 规范计算中介绍了三个规范的计算方法及实现途径,这三个规范具有一定的连续性和相关性。首先要进行砰击的计算,砰击的计算是第二部分颤振计算的基础,砰击计算可以确定瞬时冲击压力的作用范围和作用时间,在船体运动分析的基础上给出船体垂向极限速度和位移。通过诸多计算之后可以通过全船有限元模型来加载砰击载荷,分析关注部位的强度和主要支撑构件的强度。

砰击计算完成后即可进行颤振的计算,颤振是由于瞬时冲击载荷的作用导致的船体梁二节点振动,基于砰击计算部分给出的结果确定冲击载荷,计算冲击载荷引起的弯矩变化,确定总弯矩,在此基础上进行疲劳强度计算,给出颤振对疲劳计算的贡献率。砰击计算完成后即可进行颤振的计算,颤振是由于瞬时冲击载荷的作用导致的船体梁二节点振动,基于砰击计算部分给出的结果确定冲击载荷,计算冲击载荷引起的弯矩变化,确定总弯矩,在此基础上进行疲劳强度计算,给出颤振对疲劳计算的贡献率。

第5章 大型集装箱船砰击计算方法

5.1 概　　述

船舶在波浪中航行,船体受到波浪的砰击作用会引起船体瞬时发生颤振,尤其对大型集装箱船而言,大外飘的存在更容易发生砰击。颤振会对船体极限弯矩及疲劳载荷产生较大影响,尽管对于大型集装箱船而言,该现象的产生被船级社及设计所广泛认同,但是砰击引起的颤振在设计阶段很难被考虑进来。为了计算砰击诱导的颤振响应,可以通过时域模拟耐波性计算来实现,其设计值可以通过谱分析的方法来获得。

Bishop 等人给出了如何在耐波性计算中考虑到砰击作用所引起的颤振造成的结构响应,而在未来该方面的计算将主要针对时域非线性水弹性方面。弹性船体在极端海况下航行,伴随着砰击现象,这种情况很难被很好地模拟计算。所以在计算时首先要采取一些假设,同时也要能够确保计算效率和计算准确性。一般的做法是分离耐波性计算和砰击及颤振的计算,频域的载荷通过耐波性计算来完成,而高频颤振的确定则需要计算砰击载荷,砰击载荷通过耐波性计算结果来确定,而本章则采用耦合水动力系数、砰击和颤振的计算方法。

5.2　时域水弹性计算

5.2.1　水动力系数计算

时域计算的水动力系数需要通过在频域范围内利用势流理论求解边界值问题来得到,三维 Rankine 面元法计算耐波性具有较好的实用性,在计算时定义一个随船坐标系,船舶航行方向定义为 x 轴正方向,z 为垂向,原点定义在重心在水面上的投影点,边界条件可以表述为

$$\begin{cases} \Delta\varphi = 0 & \text{在流场内} \\ \left[\dfrac{d}{dt} + \nabla\varphi \cdot \nabla \right][z - \xi(x,y,t)] = 0 & z = \xi(x,y,t) \\ \dfrac{\partial\varphi}{\partial n} = \nabla\varphi\Delta n + \dfrac{\partial u}{\partial t}\Delta n \; S_b \\ \lim\left[\sqrt{VR}\left(\dfrac{\partial\varphi}{\partial R} - iv\varphi \right) \right] = 0 & R \to \infty \\ \lim_{z \to \infty} \nabla\varphi = 0 & \text{底部条件} \end{cases} \tag{5-1}$$

式中　S_b——船体表面;

　　　V——速度向量;

　　　u——位移;

R——距离船体的水平距离；

v——波数，$v = \omega_e^2 / g$；

n——船体表面法向量；

ξ——自由面升高值，设流场内任一点的压力为 $p(x, y, z, t)$，流场内质点的速度与速度势的关系为

$$V = \nabla \varphi \tag{5-2}$$

利用拉格朗日积分，流场内压力 p 由伯努利公式给出

$$p - p_0 = -\rho g z - \rho \frac{\partial \varphi}{\partial t} - \frac{1}{2} \rho \mid \nabla \varphi \mid^2 \tag{5-3}$$

按照线性势流理论，在上述波浪中航行的船舶，其周围流场总速度势可以分解为定常速度势和非定常速度势，定常速度势为船舶在静水中航行的定常兴波势，非定常速度势包括入射势 φ_I，绕射势 φ_D 和辐射势 φ_R

$$\varphi(x, y, z, t) = \Phi(x, y, z, t) + \varphi_I(x, y, z, t) + \varphi_D(x, y, z, t) + \varphi_R(x, y, z, t) \tag{5-4}$$

在自由表面上质点压力值恒为 0

$$\frac{D}{Dt} p(x, y, z, t) = 0, \quad z = \xi \tag{5-5}$$

上式变换为如下形式：

$$\frac{\partial^2 \varphi}{\partial t^2} + g \frac{\partial \varphi}{\partial z} + 2 \nabla \varphi \Delta \nabla \left(\frac{\partial \varphi}{\partial t} \right) + \frac{1}{2} \nabla \varphi \Delta \nabla (\nabla \varphi \cdot \nabla \varphi) = 0, z = \xi \tag{5-6}$$

在 $z = 0$ 处做泰勒展开：

$$\left[\left(\frac{\partial}{\partial t} - V \frac{\partial}{\partial x} \right)^2 + g \frac{\partial}{\partial z} \right] \varphi = 0 \tag{5-7}$$

将速度势的表达式代入

$$\left(V^2 \frac{\partial^2}{\partial x^2} + g \frac{\partial}{z} \right) \Phi = 0, \quad z = 0 \tag{5-8}$$

$$\left[\left(i\omega - V \frac{\partial}{\partial x} \right)^2 + g \frac{\partial}{\partial z} \right] \left[\varphi_I(x, y, z, t) + \varphi_D(x, y, z, t) + \varphi_R(x, y, z, t) \right] = 0 \tag{5-9}$$

把辐射势 φ_R 分解到六个自由度的运动方向上，六自由度的位移 $\eta(t)$ 可以理解为以遭遇频率为变化率的简谐振动形式：

$$\eta(t) = (\eta_1, \eta_2, \eta_3, \eta_4, \eta_5, \eta_6)^T e^{i\omega_e t} \tag{5-10}$$

这样辐射势 φ_R 可以写为

$$\varphi_R = \sum_{j=1}^{6} \left[i\omega_e \eta_j \Delta \varphi_j(x, y, z) \right] \tag{5-11}$$

物面条件的物理意义是在物面上流体质点的法向相对速度为 0，利用戴仰山提出的方法，引入移动坐标和固连坐标系的小量 $\alpha = \eta_{123} + \eta_{456} \times r$，$\eta_{123} = (\eta_1, \eta_2, \eta_3)$，$\eta_{456} = (\eta_4, \eta_5, \eta_6)$，物面条件在物面平均位置上做泰勒展开，并分离定常势与非定常势：

$$\frac{\partial}{\partial n} \Phi = 0 \tag{5-12}$$

$$\frac{\partial}{\partial n} (\varphi_I + \varphi_D + \varphi_R) = \left(i\omega_e - V \frac{\partial}{\partial x} \right) \alpha \Delta n \tag{5-13}$$

分离相关项,进一步得到

$$\frac{\partial}{\partial n}(\varphi_I + \varphi_D) = 0 \qquad (5-14)$$

辐射势可以转化为如下形式进行计算:

$$\begin{cases} \dfrac{\partial}{\partial n}\varphi_1 = n_1 \\[2mm] \dfrac{\partial}{\partial n}\varphi_2 = n_2 \\[2mm] \dfrac{\partial}{\partial n}\varphi_3 = n_3 \\[2mm] \dfrac{\partial}{\partial n}\varphi_4 = (r_2 n_3 - r_3 n_2) - \dfrac{V}{i\omega_e}(r_2 n_3 - r_3 n_2) \\[2mm] \dfrac{\partial}{\partial n}\varphi_5 = (r_3 n_1 - r_1 n_3) - \dfrac{V}{i\omega_e}(r_3 n_1 - r_1 n_3) \\[2mm] \dfrac{\partial}{\partial n}\varphi_4 = (r_1 n_2 - r_2 n_1) - \dfrac{V}{i\omega_e}(r_1 n_2 - r_2 n_1) \end{cases} \qquad (5-15)$$

在采用 Rankine 源分布法计算时,可以把速度势都转化为单位波幅的速度势,根据物面条件,利用三维格林函数来确定源强 σ

$$\iint_{S_b} \sigma(q)\,\frac{\partial}{\partial n}G(p,q)\,\mathrm{d}s = \begin{cases} \varphi_j, j = 1,2,3,4,5,6 \\[2mm] -\dfrac{\partial}{\partial n}\varphi_D \end{cases} \qquad (5-16)$$

式中 p——流场内任一点;

　　　　q——点源布置位置。

5.2.2　时域计算

在时域进行耐波性计算可以求解颤振瞬时响应,该理论建立在广义模态分析的基础上,该部分计算采用模态分析方法,都把船体当作弹性体来处理,船体局部变形的幅值 $H(x, y, z, t)$ 如下:

$$H(x,y,z,t) = \sum_{i-1}^{N} \xi^i(t)\, h^i(x,y,z)$$

$$= \sum_{i-1}^{N} \xi^i(t)\Delta\big[h_x^i(x,y,z)i + h_y^i(x,y,z)j + h_z^i(x,y,z)k\big] \qquad (5-17)$$

式中 $h^i(x,y,z)$——广义位移或变形,可以包含刚体位移和弹性变形;

　　　　$\xi^i(t)$——模态振幅;

　　　　i, j, k——三个坐标轴方向的单位向量。

弹性模态的计算一般都采取结构有限元模型来分析。

最简单的结构模型为梁模型,可以把船体当成一根梁来处理,这样可以很直接地找到船体的振动模态,但是梁模型并不能完全准确地显示船体的振动特性,如对于大开口的集装箱船来说其扭转模态不可能通过一个梁模型来模拟。在这种情况下,计算船体固有振动频率可以采用三维有限元模型来处理,但是如何把三维模态计算结果传递到水动力计算模型的网格上并不是很直观,无论采用梁模型还是三维结构模型,只要能够把结构模型计算结果传递到水动力模型上就能够进行有效的计算,这也是模态分析法与直接耦合计算相比的优势所在。

在时域范围内可以建立如下公式:

$$[A(\infty) + m]\ddot{\xi} + B(\infty)\Delta\dot{\xi} + \int_{-\infty}^{T} K(t - \tau)\Delta\dot{\xi}(\tau)\mathrm{d}\tau + c_s\Delta\xi$$

$$= f_I(\xi,t) + f_D(\xi,t) + f_R(\xi,t) + f_H(\xi,t) + f_S(\xi,t) \tag{5-18}$$

式中　ξ——模态幅值;

$\quad\quad A(\infty)$——无穷频域附加质量;

$\quad\quad B(\infty)$——无穷频域阻尼;

$\quad\quad m$——质量矩阵;

$\quad\quad K$——推迟函数;

$\quad\quad c_s$——结构刚度矩阵;

$\quad\quad f_I$——入射波压力;

$\quad\quad f_D$——波浪绕射力;

$\quad\quad f_R$——辐射力;

$\quad\quad f_H$——流体静力载荷;

$\quad\quad f_S$——砰击作用力。

延迟函数的计算可以采用频域阻尼计算结果来实现:

$$K(t) = \frac{2}{\pi}\int_0^{\infty}[B(\omega_e) - B(\infty)]\Delta\cos(\omega_e t)\mathrm{d}\omega_e \tag{5-19}$$

在计算中,船舶的真实位置必须已知,从而计算应力,船舶的重心位置 $x = (x, y, z)$ 定义如下:

$$\begin{cases} x = \xi_1 + U\Delta t \\ y = \xi_2 \\ z = \xi_3 \end{cases} \tag{5-20}$$

在通过梁模型或三维有限元模型计算得到自由振动模态振型 $[D]$ 后,利用模态叠加原理,模态幅值可以表示为

$$\xi = [D]\zeta(t) = [\{D_1\},\{D_2\},\cdots,\{D_m\}]\zeta(t) \tag{5-21}$$

将自由振动模态代入时域模态分析公式中

$$[a]\{\ddot{\xi}\} + B(\infty) \cdot \{\dot{\xi}\} + \int_{-\infty}^{T}[k]\Delta\{\dot{\xi}(\tau)\}\mathrm{d}\tau + [c] \cdot \{\xi\} = [H] + [I] + [F] + [R] \tag{5-22}$$

上式中

$$[a] = [D]^{\mathrm{T}}[A(\infty) + m][D]\quad[b] = [D]^{\mathrm{T}}B(\infty)[D]$$

$$[k] = \frac{2}{\pi}\int_0^{\infty}[D]^{\mathrm{T}}[B(\omega_e) - B(\infty)[D] \cdot \cos(\omega_e t)\mathrm{d}\omega_e]\quad[c] = [D]^{\mathrm{T}}[c_s][D]$$

$$[H] = [D]^{\mathrm{T}}\{f_H\}$$

$$[I] = [D]^{\mathrm{T}}\{f_I\}$$

$$[F] = [D]^{\mathrm{T}}\{f_D\}$$

$$[R] = [D]^{\mathrm{T}}\{f_R\}\quad[S] = [D]^{\mathrm{T}}\{f_S\}$$

5.2.3 波浪载荷计算

流体载荷可以分为两部分计算,流体动力载荷和流体静力载荷,利用伯努利公式可以求解压力 P,将压力沿着全船进行积分可以得到船体流体作用力,用矩阵来表示作用力:

$$\{F(t)\} = \iint_{S_b} P(x,y,z,t)\{n\}\,\mathrm{d}s \tag{5-23}$$

$\{n\} = \{n_1, n_2, n_3, r_2 n_3 - r_3 n_2, r_3 n_1 - r_1 n_3, r_1 n_2 - r_2 n_1\}$,$r = \{r_1, r_2, r_3\}$ 为移动坐标系矢径。

把流体载荷分为静力载荷和动力载荷两部分分别计算,即 $F = F_S + F_D$。流体静力载荷是海水压力造成的,可以由静力学公式来计算:

$$\{F_S(t)\} = \begin{bmatrix} 0 & 0 & 0 & 0 & 0 & 0 \\ 0 & 0 & 0 & 0 & 0 & 0 \\ 0 & 0 & -\rho g A & 0 & \rho g S_y & 0 \\ 0 & 0 & 0 & -\rho g \Delta h_x & 0 & 0 \\ 0 & 0 & 0 & 0 & -\rho g \Delta h_y & 0 \\ 0 & 0 & 0 & 0 & 0 & 0 \end{bmatrix} \{\eta(t)\} \tag{5-24}$$

式中　Δ——排水体积;

S_y——对 y 轴静矩;

h_x 和 h_y——横稳心高和纵稳心高。

流体动力载荷可以分为入射波压力 F_I,绕射压力 F_D 和辐射压力 F_R 三个部分:

$$\{F_I(t)\} = \iint_{S_b} \rho g a \sin(k_0 x + \omega_e t)\{n\}\,\mathrm{d}s \tag{5-25}$$

$$\{F_D(t)\} = \iint_{S_b} -\rho\left(i\omega_e - V\frac{\partial}{\partial x}\right)\varphi_D(x,y,z)\,\mathrm{d}s \cdot e^{i\omega_e t} \tag{5-26}$$

$$\{F_R(t)\} = -i\omega_e \rho \sum_{j=1}^{6} \eta_j \iint_{S_b}\left(i\omega_e - V\frac{\partial}{\partial x}\right)\varphi_j(x,y,z)\{n\}\,\mathrm{d}s \cdot e^{i\omega_e t} \tag{5-27}$$

5.3　砰　击　计　算

现阶段,砰击计算都是采用二维方法来进行,砰击压力计算可以采用两种方法来进行,一种是扩展的瓦格纳方法,还有一种是修正的 Logvinovich 方法。本书会采用两种方法分别进行计算,并对结果进行比较分析。

5.3.1 扩展的瓦格纳方法

1. 数值计算原理

瓦格纳方法可以处理楔形体入水问题,对于集装箱船,其艏部并非楔形体,那么如何利用瓦格纳方法进行计算是一个关键技术问题,在这方面 Zhao 和 Faltinsen 最早提出了解决方法,在瓦格纳方法的基础上提出了数值计算方法,我国学者卢炽华在此基础上提出了计算外飘和 U 形体如水砰击问题。

本章根据集装箱船的特点,采用边界元理论,利用线元法进行数值计算,每一个分段线元采用线性拟合计算,如图 5.1 所示,考虑到射流的影响在数值计算时要把射流进行切断处理,如图 5.2 所示。

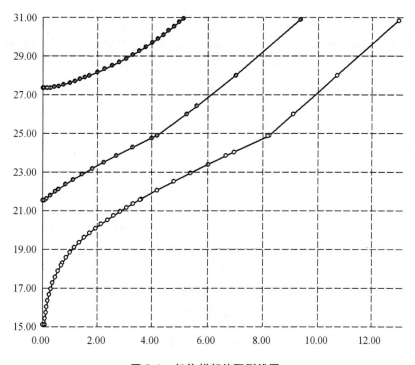

图 5.1　船体艏部外飘型线图

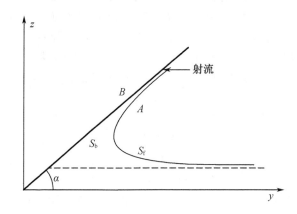

图 5.2　控制面及坐标系定义

计算时依然假定流体为无旋不可压缩理想流体,这样首先满足拉普拉斯公式

$$\nabla \varphi = 0 \tag{5-28}$$

在二维横剖面上进行计算,可以直接转化为

$$\frac{\partial^2 \varphi}{\partial y^2} + \frac{\partial^2 \varphi}{\partial z^2} = 0 \tag{5-29}$$

自由液面上满足运动学公式

$$\frac{Dy}{Dt} = \frac{\partial \varphi}{\partial y}, \frac{Dz}{Dt} = \frac{\partial \varphi}{\partial z} \tag{5-30}$$

物面条件为

$$\frac{\partial \varphi}{\partial n} = V_n \qquad (5-31)$$

按照 Zhao 和 Faltinsen 的方法,在自由液面和物面之间产生射流,在射流被截断后,假定包括阶段处的流体域为 Ω,其中截断面 AB 垂直于物面,根据格林公式,流体域内速度势可以表示为

$$2\pi\varphi(y,z) = \int_s \left[\frac{\partial\varphi(\eta,\xi)}{\partial n(\eta,\xi)} \log r - \varphi(\eta,\xi) \frac{\partial \log r}{\partial n(\eta,\xi)} \right] ds \qquad (5-32)$$

上式中

$$r = \sqrt{(y-\eta)^2 + (z-\xi)^2}$$

流体域 Ω 的控制面包含三部分,无穷远控制面,物体湿表面和自由表面,自由表面的范围控制在 $y < b(t)$ 范围内,$b(t)$ 可以近似地取瞬时浸湿半宽的 10 倍,由于船体对称,可以把射流看成无限流体域中的垂向偶极,这样 $\varphi(y,z)$ 可以表达为类似偶极的形式,在数值计算求解速势时在自由表面和物面上划分边界元,在交界处细化,因为此处速度势变化较快,流体质点在自由表面上在时间上积分,积分到相交处,计算出湿表面位置。

在每一个时间步长内利用积分公式(5-23)计算流体域 Ω 内的速度势,$A(t)$ 可以通过计算 $y = b(t)$ 处的速度势来确定,自由面和物面被分割为一系列由短直线构成的边界,如图 5.1 所示,在每一个分段上 ϕ_i 和 $\frac{\partial\varphi_i}{\partial n}$ 为定值,在射流截断处为线性变化,在初始计算时不考虑 AB,而是假定物面和自由面相交,只有当自由面与物面接近平行时才开始利用截断假定。Zhao 和 Faltinsen 提出的判定依据为,当 $\alpha < 60°$ 时自由面和物面夹角达到 $6°$ 是终止计算,当 $\alpha = 81°$ 时,其夹角小于 $12°$ 时终止,考虑到集装箱船首部的特点,本书在此判定条件的基础上增加了一个判定准则,当夹角变化满足上述条件,同时还要满足计算出来的角度与上一步计算的角度变化不超过 1% 时再终止计算,这样可以提高计算精度。

如图 5.3 所示,计算控制点位置体现了自由面的时间积分计算过程。$P_{j,i}$ 为在时间步长 i 内第 j 段的坐标点,确定前后共五个坐标点 $P_{j-2,i}$、$P_{j-1,i}$、$P_{j,i}$、$P_{j+1,i}$、$P_{j+2,i}$,利用最小二乘法的分段三次曲线拟合方法确定该曲线,然后确定 $P_{j-1,i}$—$P_{j,i}$ 和 $P_{j,i}$—$P_{j+1,i}$ 两段的中点 $P_{(j-1)/2,i}$ 和 $P_{(j+1)/2,i}$,依次类推求解各段的中点坐标。而各中点速度的大小等于由两个端点组成的直线段的中点处的值。在下一个时间步长上,先利用速度 V 已知,计算 $P_{(j-3)/2,i+1}$、$P_{(j-1)/2,i+1}$、$P_{(j+1)/2,i+1}$,$P_{(j+3)/2,i+1}$,利用在这些点处斜率保持不变的思路进行插值拟合,确定点 $P_{j,i+1}$ 和 $P_{j+1,i+1}$,在这两点直线段通过求解边界值问题确定中点速度,数值解法以此类推可以求解每一个时间步长的自由面积分。

在每一个分段上利用伯努利公式求解压力,压力计算表达式如下:

$$P_i - P_0 = -\rho\frac{\partial\varphi_i}{\partial t} - \frac{1}{2}\rho\left[\left(\frac{\partial\varphi_i}{\partial y}\right)^2 + \left(\frac{\partial\varphi_i}{\partial z}\right)^2 \right] \qquad (5-33)$$

分段求解后要在整个砰击横剖面上进行积分得到砰击压力

$$p_s = 2\int_{S_b} P\Delta n ds = 2\sum_i^{N_{sec}} P_i \Delta n_i d l_i \qquad (5-34)$$

在得到每一个横剖面的砰击压力后,可以在所有砰击计算剖面上积分来得到总压力

$$f_s = 2\sum_{i=1}^{N_{slam}} \int_{S_b} p_s \Delta h_s d l \qquad (5-35)$$

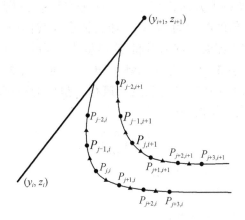

图 5.3　计算控制点位置

2. 入水冲击气垫效应

对于大型集装箱船,艏部区域型线存在底部斜升角(图 5.2 中角 α)小于 3°的情况,上节的计算内容考虑的都是斜升角大于 3°的情况,小于 3°时则需要考虑气垫效应,大型集装箱船外飘区域一般斜升角会大于 3°,但是在计算船体艏部下底砰击时则会出现斜升角小于3°的情况,如图 5.4 所示,该目标船船尾处为第 0 站,从船首到船尾方向,第 17.5 站开始底部斜升角就低于 3°,所以在计算该部分的底部砰击问题时要考虑到气垫效应的影响。

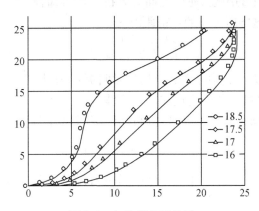

图 5.4　船体艏部型线图

该方面的研究最早开始于庄生仑的实验研究和理论预报,庄生仑在理论研究的基础上结合实验结果对平底气垫效应的影响做了总结,为该方面的计算奠定了理论依据。国内学者在庄生仑研究的基础上利用仿真软件进行了模拟,并与庄生仑的实验结果进行了对比,验证了仿真软件计算的可靠性。

根据庄的实验和理论研究,在底部升角超过 3°时,气体逃逸较快,对底部压力影响较小,可以忽略不计。所以本节根据集装箱船底部特点,在数值计算时当线元的倾斜角超过3°时不计算气垫效应,对小于 3°的部分进行气垫效应的计算。

在平底入水时假定有一层空气被捕捉至夹层间,形成气水混合物,也就可以称为气垫,这样平底结构入水时冲击力就会受到气垫层的影响,因为空气的可压缩性要高于船底,所以气垫的存在会使冲击压力从零逐渐增加到其最大值,也就是说会有一个缓冲的时间存在,其结果是缓解压力的急剧上升,同时压力会均匀分布在整个接触面上。

压力从零增加到最大值的时间为 $2L/C_{air}$,压力波会在气体中和流体中以声速传播,同时压力从最大值降低到零也需要相同的时间,这样总共需要的时间为 $4L/C_{air}$,其中 C_{air} 为声速在气垫中与压力的关系系数,若不存在气垫,则压力会迅速增加到最大值,并快速衰减到零,其时间为 $4L/C$,C 为流体中的声速,假定声速在气垫中的速度随压力变化系数是可变的,同时压缩空气的过程是等熵的,则

$$\frac{p}{p_0} = \left(\frac{\rho_1}{\rho_0}\right)^{\gamma} \tag{5-36}$$

式中　ρ_1——冲击压力 p 下的空气密度;

　　　ρ_0——大气压下空气密度;

　　　γ——绝热比,一般可以取 1.4。

$$\frac{\mathrm{d}p}{\mathrm{d}\rho_1} = C_{air}^2 \tag{5-37}$$

从而得到

$$\frac{p}{p_0} = \left(\frac{C_{air}}{C_0}\right)^{\frac{2\gamma}{\gamma-1}} \tag{5-38}$$

$$C_{air} = C_0\left(\frac{p_0+p}{p_0}\right)^{\frac{\gamma-1}{2\gamma}} \tag{5-39}$$

C_0 为大气压下空气中的声速,通过上面的分析可以得知,压力波在气垫中在 $\mathrm{d}t$ 时间内移动的距离 $\mathrm{d}l = C_{air}\mathrm{d}t$,这样压力波的传播距离为

$$\int_0^{4L} \mathrm{d}l = \int_0^T c_{air}\mathrm{d}t \tag{5-40}$$

平板入水冲击的压力在其中心点会延迟的时间更长,但是考虑到脉冲波的缓冲时间本来就很短,我们在计算时可以忽略这点的影响,这样 $p = p(t)$。

根据庄生仑的实验研究和脉冲衰减的形式可以得出如下计算公式:

$$p(t) = 2\,p_{\max}\mathrm{e}^{-1.4t/T}\sin\pi\,\frac{t}{T} \tag{5-41}$$

通过上面的计算公式可以看出,压力是一个幅值在不断减小的正弦函数,由均匀分布假设和动量定理可以得到

$$m\,V_0 = A\int_0^T 2\,p_{\max}\mathrm{e}^{-1.4t/T}\sin\pi\,\frac{t}{T}\mathrm{d}t \tag{5-42}$$

m 为平板附加质量,m 可以计算如下:

$$m = \frac{1}{2}\rho\pi L^2 \tag{5-43}$$

代入公式(5-33)

$$\frac{1}{2}\rho\pi L^2 V_0 = A\int_0^T 2\,P_{\max}\mathrm{e}^{-1.4t/T}\sin\pi\,\frac{t}{T}\mathrm{d}t \tag{5-44}$$

A 为平板单位长度上的面积,所以 $A = 2L$,将公式(5-39)和公式(5-41)代入公式(5-40)得到

$$4L = C_0\left(\frac{1}{p_0}\right)\int_0^T \left(p_0 + 2\,p_{\max}\mathrm{e}^{-1.4t/T}\sin\pi\,\frac{t}{T}\right)^{\frac{1}{7}}\mathrm{d}t \tag{5-45}$$

在数值计算方法中,可以先判定线元的斜升角是否小于 3°,假定判定第 K 个线元斜升角小于 3°,第 $K+1$ 个线元斜升角大于 3°,在二维计算时 L 可以近似地认为等于线元长度之和:

$$L = \sum_{i=1}^{k} l_i = \sum_{i=1}^{k} \sqrt{(y_{i+1} - y_i)^2 + (x_{i+1} - x_i)^2} \tag{5-46}$$

利用公式(5-44)和公式(5-45)求解得到

$$p_{max} \approx 16.63 V_0^{1.1} \tag{5-47}$$

从上面的计算流程可以看出,若考虑到气垫效应的影响则把二维剖面斜升角小于 3°的部分当作平板入水冲击进行计算,其余部分依然利用线元法进行计算,最后压力积分公式也要分两步完成,最终得到最后的压力结果

$$p_s = \int_{S_b} P \cdot n \mathrm{d}s = 2\sum_{i=1}^{k} p_{max} \sqrt{(y_{i+1} - y_i)^2 + (x_{i+1} - x_i)^2} + 2\sum_{i=k+1}^{N_{sec}} P_i \cdot n_i \mathrm{d}l_i$$

$$\tag{5-48}$$

同时庄生仑在其论文中给出了通过实验值拟合的公式,在龙骨处的切片其压力值会增大,计算公式如表 5.1 所示。

表 5.1　楔形体小角度入水冲击压力计算公式

升角	龙骨处	非龙骨处
0	$16.63V_0^2$	$16.63V_0^2$
1	$24.46V_0^2$	$24.46V_0^2$
3	$\rho V_0^2 \pi \cos\beta/2$	$42.06V_0^2$

5.3.2　改进的 Logvinovich 方法

Logvinovich 方法建立在 Wagner 平板冲击理论的基础上,Wagner 方法在压力达到最大值的接触点临近区域不适用,同时 Wagner 方法只能在非线性伯努利公式预报压力为正值时才能在部分区域使用,所以 Logvinovich 提出在 Wagner 速度势分布上增加一个附加项,使得接触区域的速度势有界,该附加项的计算的前提是,在压力为零的点处速度为接触点处速度的两倍。在 Lognovich 理论的基础上 Korobkin 保留了伯努利公式中的物面条件相关的高阶项,得到了适用范围更广的计算模型,本节将在此理论基础上进行分析。坐标定义如图 5.5 所示。

压力 $p(x,t)$ 沿着湿表面 $D(t)$ 分布,在速度势和湿表面都已知的情况下,令

$$\varphi(x,t) = \varphi[x, f(x) - h(t), t] \tag{5-49}$$

$$p(x,y,t) = -\rho\left(\varphi_t + \frac{1}{2}|\nabla\varphi|^2\right) \tag{5-50}$$

物面条件为

$$\varphi_y = \varphi_x f'(x) - \dot{h}(t) \tag{5-51}$$

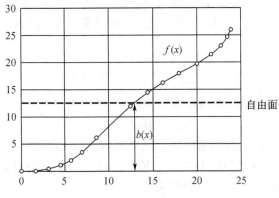

图 5.5　坐标定义

由柯西－拉格朗日积分得到

$$p(x,y,t) = -\rho\left(\varphi_t + \frac{1}{2}\mid\nabla\varphi\mid^2\right) \tag{5-52}$$

得到压力的表达式

$$p(x,t) = -\rho\left[\varphi_t + \frac{f'(x)\,\dot{h}}{1+f^2(x)}\varphi_x + \frac{1}{2}\frac{\varphi_x^2 - \dot{h}^2}{1+f^2(x)}\right] \tag{5-53}$$

5.3.3　压力积分计算

砰击载荷采用二维方法计算,三维船体结构对砰击载荷的响应也需要计算,一个较为普遍的方法是把砰击载荷作为一个应力向量加载到切片上,在向量上乘以一个分段的宽度,然后计算结构对载荷的响应。Tuitman采用了一种更加精确的方法来处理该问题,所有模态的响应,包括弹性模态的响应计算,都是通过三维结构网格对砰击压力进行积分来计算,为了达到此目的,在船体首部进行细化划分,如图5.6至图5.8所示,紧密相邻的二维分段部分嵌入到三维网格模型中,以此来计算全船的结构响应。该方法与其他方法相比有如下优势:

二维切片的布局可以自由定义,计算时比较稳定方便。砰击载荷作为单一载荷只需在切片平板上进行计算。通过在三维网格上进行压力积分,艏部有限元模型如图5.9所示。砰击载荷取决于船体三位几何模型,并不局限于二维切片如何布局,切片的布局对于通过压力积分来计算砰击载荷来说,影响甚微。

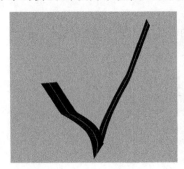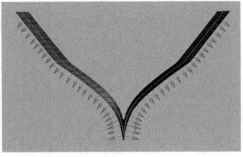

图 5.6　有限元中嵌入单一砰击切片

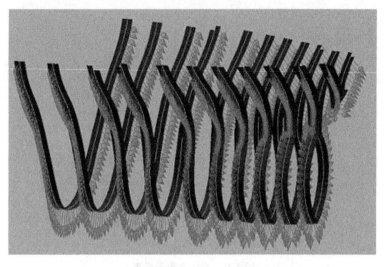

图 5.7　有限元模型中嵌入砰击计算二维切片

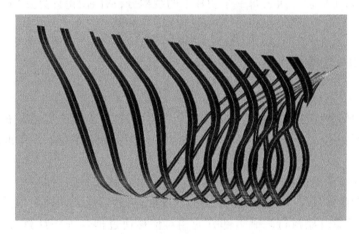

图 5.8　砰击计算切片和法向量

　　传统计算方法一般采用一维梁理论来模拟船体振动模态,该方法稳定且有效。对于单一切片应力的模态响应计算也较为准确。三维有限元模型的振型是不稳定的,由于砰击载荷引起的压力分布在不同时间、不同位置变化较大,即使在总应力维持不变的情况下,振动响应也会随之发生较大变化。所以将压力加载到振动模型上来模拟三维有限元振动响应是较为合理的计算途径。

　　通过砰击压力在三维网格上积分得到的模态激振力计算如下:

$$f_s = \sum_i^N p_s \cdot h \cdot n\mathrm{d}S \tag{5-54}$$

式中　N——砰击切片总数;

　　　p_s——砰击压力;

　　　S——砰击切片的外表面。

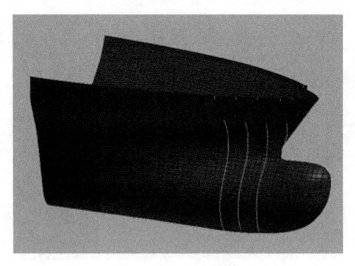

图5.9 艏部有限元模型

公式(5-54)可以被转换为每一个切片上的线积分,从而使得计算更加快速稳定:

$$f_s = \sum_{i=1}^{N} \int_L p_s \cdot h_s \mathrm{d}l \qquad (5-55)$$

式中,L 为切片部分轮廓线。

$$h_s(l)\,\mathrm{d}l = h\int n\mathrm{d}w \qquad (5-56)$$

上式中右侧部分为在切片宽度上进行积分,因为振型在宽度上是稳定的,$h_s(l)$ 在计算砰击载荷时是不变的,是该部分计算的准备数据,该数据的计算在下一章波激振动计算部分会做阐述。

在计算过程中至关重要的一步是如何耦合耐波性计算和砰击计算结果,该程序需要直接嵌入到耐波性计算过程中,当砰击切片的相对速度超过了定义的极限值并且切片部分没入水中时,耦合计算开始执行。砰击部分的相对位移通过耦合程序计算,并且作为计算砰击的直接输入数据处理。砰击激振力的计算也在砰击程序中实现,并且在每一个时间步长内加载到耐波性计算的应力向量上。

直接耦合耐波性和砰击计算会导致附加质量的加速度的重复计算,该部分在计算辐射力的时候是线性的,在计算砰击时是非线性的。所以该部分会导致非线性砰击载荷比线性辐射力更加明显,在分析时需要注意这些问题。

5.4 砰击计算结果

根据 ABS 规范中给出的25年重现期的短期海况,通过上述方法计算短期预报和极值分析。选取砰击作用力较大的短期海况作为设计海况,计算航速13.2 kn(0.6 倍16 000TEU集装箱船的设计航速),通过对每个装载工况的计算,发现在跨零周期9 s,有义波高13.4 m的短期海况下,各个装载的砰击作用普遍大于其他海况,所以本章主要以该海况为实例进行详细分析。

5.4.1 时域计算结果

各模态激振力通过积分砰击压力来计算,计算过程中要使用局部法向量和模态振型的数据,这就考虑到了船体三维几何模型。

时域计算方法对时间步长的敏感度也需要进行验证,耦合耐波性和砰击计算程序需要保证砰击激振力能够准确传递,而时间步长的差异对其计算结果无明显影响。图 5.10 中给出的是垂向砰击作用力及引起的垂向弯矩曲线,并根据不同时间步长进行计算。

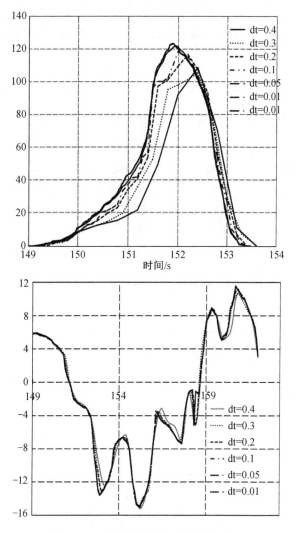

图 5.10 时间步长变化时域计算效果

颤振的幅值是通过将总的砰击脉冲传递到耐波性计算程序中得到的,该值在时间步长小于 0.2 s 时基本不会受到太大影响,而时间步长为 0.3 s 和 0.4 s 时,计算的结果会略小,这是由于峰值点被忽略造成的。后面的计算都会采用 0.1 s 作为时间步长,计算过程中会计算到四阶。

图 5.11 给出了两种方法计算时域垂向砰击作用力,可以看出改进的 Logvinovich 方法计算结果要比扩展的瓦格纳方法小很多,其原因是前一种方法在计算砰击时要求切片为不尖锐的切片,而船首部分有些切片较为尖锐,尤其是在球鼻艏上方的部分,比如图 5.6 所示的部分,该部分的计算会使两种方法的计算结果差异较大,图 5.12 中给出了下方包含球鼻艏的部分的砰击作用力和非球鼻艏上方的部分的两个切片的时域计算结果。

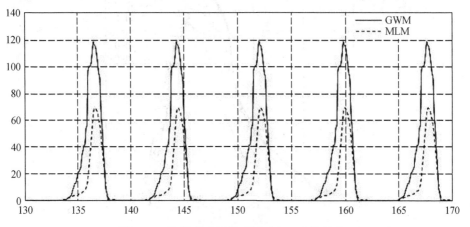

图 5.11　两种方法计算时域垂向砰击作用力

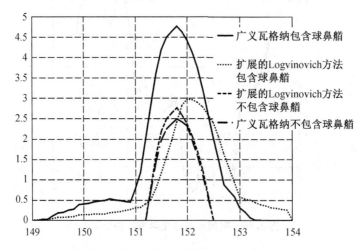

图 5.12　艏部不同方法计算剖面砰击载荷(MN)

从结果中可以看到,在不尖锐的部分,或者下方不包含球鼻艏的切片部分,两种计算方法结果较为一致,但是在下方有球鼻艏的切片部分,砰击计算结果差异较大,这主要与切片法计算砰击的前提假设有关。

5.4.2　水弹性对计算结果的影响

砰击作用的时间一般在 1 s 左右,考虑到湿频率的影响,作用时间会在 1.6 s 左右,所以水弹性的影响是需要被考虑到的。由于结构阻尼的存在,砰击载荷会逐渐衰减。

如果采用刚体进行计算,砰击载荷的计算结果会增加很多,当模态数增加时,计算结果会趋于收敛。

在上面的计算中,耐波性计算和砰击计算是直接耦合的,图 5.13 中给出的结果是非耦合方法计算的结果,首先计算不考虑砰击作用的耐波性响应,然后根据耐波性计算结果计算相应模态的砰击载荷。即使对于刚体计算结果来说,两种计算方法的计算结果也会有很大差别,直接耦合方法计算的结果会大幅度减小。其原因为,直接耦合方法的计算考虑到了由于砰击作用导致的刚体位移,即使该位移的差别很小,但是对其计算结果却影响很大,因为该结果的变化是与相对速度的平方成比例。而对弹性体,该影响会增大,这也就可以看出水弹性的影响对直接耦合方法的影响。

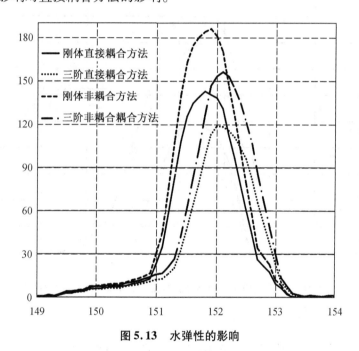

图 5.13　水弹性的影响

5.4.3　气垫效应对计算结果的影响

以船体第 16、第 17 站(艉垂线为 0 站)为例进行计算,如图 5.14 所示,第 16 站当 y 值小于 5.36 m 时底部升角小于 3°,把该部分看作平板入水进行计算,线元在此处进行截断分割,将考虑到气垫效应的计算结果与利用瓦格纳方法计算结果进行对比,从图 5.15 中可以看出,考虑气垫效应的砰击作用力明显要比瓦格纳方法计算的结果要小,这主要是由于气垫的存在导致的,而第 17 站的差异明显又小于第 16 站,因为第 17 站产生气垫效应的区域更小,虽然气垫效应在某些砰击切片计算上影响较大,但是计算船体首部砰击时总的压力积分结果不会差别较大,这是因为艏部涉及气垫效应的部分很少,只有到了第 17 站开始计算才会有部分区域出现气垫效应。

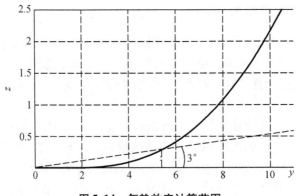

图 5.14　气垫效应计算范围

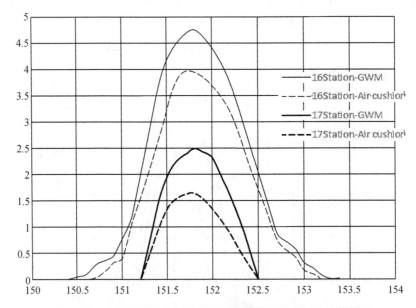

图 5.15　考虑气垫效应和不考虑气垫效应的砰击切片计算结果

5.5　船体砰击强度评估

在工程实践中砰击的计算最后要落实到船体结构强度的评估上,分为砰击载荷作用下的局部强度评估和总纵强度评估两部分;前者主要是参考 ABS 船级社 2014 年版《Slamming Loads and Strength Assessment for Vessels》(《船舶砰击载荷和强度评估规范》),对砰击载荷作用下船首局部结构强度进行分析。后者参考 BV 船级社 2010 版《Guidelines for Ultra Large Container Ships》(《超大型集装箱船指南》)的要求,采用全船三维模型对考虑砰击载荷的作用的全船强度进行评估。

5.5.1　局部结构强度评估

为便于局部砰击压力载荷数据的说明,这里选取船首底部和外飘区域的若干位置把砰击压力计算值在三维有限元模型上进行加载,进行局部结构强度的评估,如图 5.16 所示的位置。按照 5.5 节计算的结果,选择砰击作用最剧烈的海况作为评估标准,通过计算选择跨零周期 9 s,有义波高 13.4 m 的短期海况。

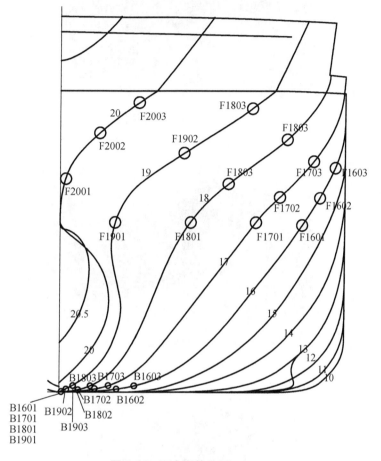

图 5.16　砰击评估位置

参照 ABS 的砰击规范提供的评估方法对舷侧外板、底部外板、舷侧纵骨、底部纵骨、骨材穿越处结构和主要支撑构件进行直接强度评估。其中舷侧外板、底部外板、舷侧纵骨、底部纵骨、骨材等主要支撑构件采用有限元法进行评估。

具体三维有限元模型中评估位置如图 5.17 至图 5.20 所示。

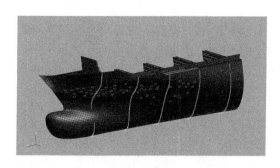

图 5.17　舷侧外板评估位置

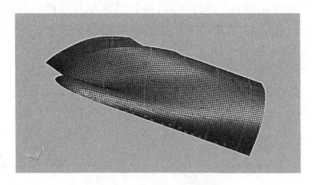

图5.18　外底板评估位置

图5.19　舷侧纵骨评估位置

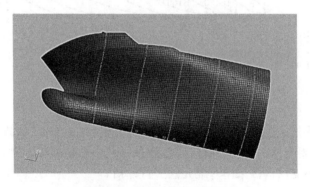

图5.20　底部纵骨评估位置

　　通过载荷加载进行强度校核,载荷加载采用有限元软件 Patran 的 PCL 语言进行自动加载,载荷加载模型如图5.21和图5.22所示。

　　通过上面的评估过程发现舷侧外板基于艏部外飘砰击和底部纵骨及加强筋的评估都符合标准,以下位置不符合评估标准,如表5.2所示。

图 5.21   集装箱船有限元模型的边界条件

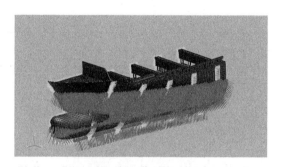

图 5.22   载荷图示

表 5.2   局部砰击强度评估结果

板格 ID	对应模型的单元 ID	板厚 t/mm	板厚减缩 t_r/mm	净板厚/mm	许用值/mm	是否满足
1	Elm 1787	21	1	20	20.04	不满足
2	Elm 1781	21	1	20	20.65	不满足
3	Elm 1497	3381	800	4.63×10^5	5.39×10^5	不满足
4	Elm 2313	3238	866	3.80×10^5	5.00×10^5	不满足
5	Elm 2300	3257	881	3.80×10^5	5.81×10^5	不满足
6	Elm 1850	3374	847	3.81×10^5	7.83×10^5	不满足
7	Elm 1451	3297	863	3.81×10^5	7.15×10^5	不满足
8	Elm 1437	3315	826	3.81×10^5	6.68×10^5	不满足

根据评估结果给出如下优化意见:

(1)对局部底部外板净板厚小于许用值的情况,如 Elm1787(308 肋位底部靠近中纵剖面)、Elm1781(314 肋位底部靠近中纵剖面),建议增加板厚至 21 mm 或 22 mm。

(2)对舷侧纵骨剖面模数小于许用值的情况,如 Elm1497(312 肋位舷侧据基线高度 14.978 m)所在位置,建议将纵骨由 HP260×11 改为 HP280×11,Elm 2313(296 肋位舷侧据基线高度 17.569 m)、Elm2300(301 肋位舷侧据基线高度 18.182 m)所在位置,建议将纵骨由 HP240×11 改为 HP280×11,或者增加带板的宽度与厚度。

（3）对骨材穿越处应力不满足许用值的情况，如 Elm1850（301 肋位舷侧据基线高度18.594 m）所在位置，建议将纵骨由 HP240×11 改为 HP280×11，同时增加补板宽度。

5.5.2　总纵砰击强度评估

结构分析旨在计算用于屈服、屈曲及极限强度评估的主要支撑构件和船体板的应力。根据 BV 规范的要求，应用 MSC/NASTRAN 软件进行建模和强度计算，提取不同构件的应力，并按照相应的规范进行结构强度分析。

进行全船屈服强度评估时主要关心的是各个工况的垂向总纵弯矩，为实现砰击载荷作用下全船屈服屈曲强度的评估，这里给出各个工况的垂向总纵弯矩载荷幅频响应，如图5.23 至图 5.26 所示。

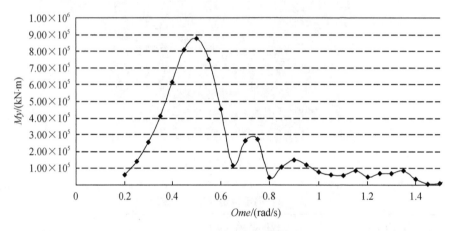

图 5.23　设计吃水满载离港工况

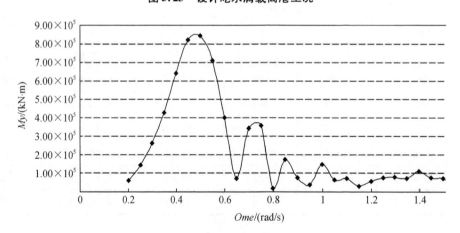

图 5.24　结构吃水满载离港工况

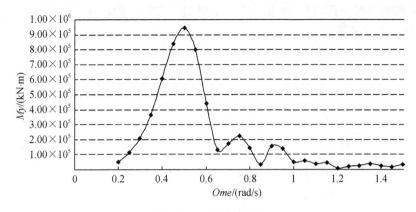

图 5.25　压载离港工况

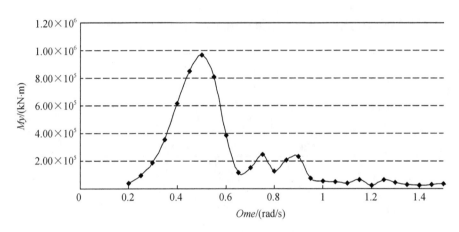

图 5.26　压载到港工况

计算出各装载工况的剖面载荷幅频响应后,利用概率论和数理统计原理,对剖面载荷进行了长期预报。长期预报采用的海浪谱为 ISSC 推荐的双参数 PM 谱,采用的海况散布图为 IACS 推荐的 NO.34 北大西洋海况。以船舯垂向弯矩为线性波浪弯矩设计值,结合航速为 13.2 kn 的各个装载工况下的幅频响应函数,确定了用于非线性载荷计算设计波波幅,如表 5.3 所示。

表 5.3　非线性载荷计算设计波波幅

编号	工况	$RAO/(kN \cdot m)$	设计波幅值/m
1	设计吃水离港	8.77×10^5	5.42
2	结构吃水离港	8.42×10^5	5.67
3	压载离港	9.46×10^5	5.08
4	压载到港	9.68×10^5	5.01

利用上述设计波波幅,在时域内进行一系列频率下的非线性波浪弯矩预报。在同一装

载工况不同频率下的计算结果,选取其中中垂中拱较大的弯矩值作为该工况的非线性波浪弯矩设计值,如表5.4所示。

表5.4　非线性波浪弯矩设计值

编号	工况	非线性弯矩设计值/(kN·m)	
		中垂	中拱
1	设计吃水离港	5.85×10^6	4.48×10^6
2	结构吃水离港	6.78×10^6	5.47×10^6
3	压载离港	5.22×10^6	4.62×10^6
4	压载到港	5.44×10^6	5.00×10^6

各个工况船舯垂向弯矩时域计算结果如图5.27至图5.30所示。

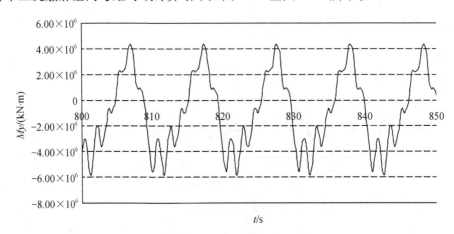

图5.27　设计吃水满载离港工况

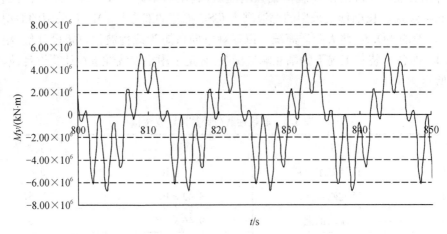

图5.28　结构吃水满载离港工况

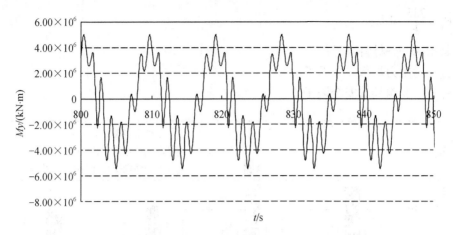

图 5.29   压载离港工况

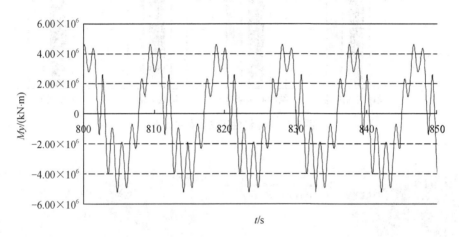

图 5.30   压载到港工况

对比上面的结果分析非线性载荷对垂向弯矩的影响,如图 5.31 所示。

根据规范要求,对于高应力区域(高应力区域细化示意图和云图如图 5.32 所示),即相当应力与许用应力的比值大于 0.95 时,需要进行细化,细化尺寸标准 50 mm × 50 mm,评估标准如下:

(1) $\sigma_{VM-av} \leqslant \sigma_{MASTER}$

式中,σ_{VM-av} 为平均米塞斯相当应力

$$\sigma_{VM-av} = \frac{\sum\limits_{1}^{n} A_i\, \sigma_{VM-i}}{\sum\limits_{1}^{n} A_i}$$

式中 σ_{VM-i}——平均区域第 i 个单元中心处的米塞斯应力;

A_i——平均区域第 i 个单元的面积;

n——平均区域内单元的个数。

$$\sigma_{MASTER} = \frac{R_y}{\gamma_R \gamma_m}$$

式中 $R_y = \dfrac{235}{k}$,MPa;

其中,k——材料因子;

γ_R——阻力局部安全因子;

γ_m——材料局部安全因子。

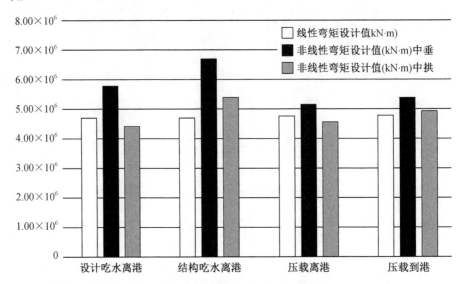

图 5.31   非线性砰击载荷的影响

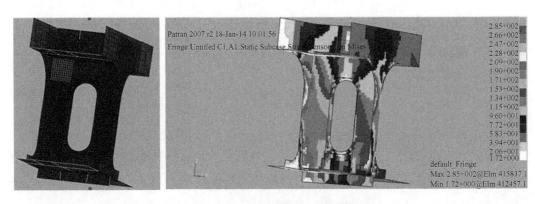

图 5.32   高应力区域细化示意图和云图

(2)非临近焊缝的单元$\sigma_{VM} \leqslant 1.53\,\sigma_{MASTER}$

临近焊缝的单元$\sigma_{VM} \leqslant 1.34\,\sigma_{MASTER}$

全船有限元屈服强度评估时,所有构件的相当应力和剪切应力均满足规范要求,对于高应力区域,通过局部结构有限元网格细化的方法,计算结果也满足细网格有关标准,砰击作用引起的非线性弯矩作用对全船结构强度影响并不大,从计算结果看大部分区域在总纵强度评估上都满足船级社的标准。

5.6 结 论

本章利用三维 Rankine 源分布法进行了水动力计算,砰击分别采用扩展的瓦格纳方法和改进的 Logvinovich 方法进行计算,通过压力积分求解砰击载荷,根据集装箱船的特点在计算底部砰击时考虑到了气垫效应,在时域计算时给出了砰击计算结果,对比分析了瓦格纳方法和 Logvinovich 方法的差异,在可能产生气垫效应的剖面上分析了气垫效应的影响,在砰击计算的基础上利用全船三维有限元模型进行了砰击强度校核,包括局部结构强度的评估和总纵强度的评估两部分,局部结构强度分析后给出了需要改进的位置和改进的方案,总纵强度分析发现各部分都满足船级社的规范要求。

第6章 波激振动计算及其对
疲劳强度的影响分析

6.1 概 述

在第 2 章中已经对波激振动计算理论基础和计算流程进行了详细的阐述,本章主要给出在计算时具体涉及的数值计算流程和计算实例。波激振动现象主要包括线性波激振动部分和非线性波激振动部分,线性波激振动是一种稳态共振现象,当二节点固有振动频率与波浪遭遇频率接近时会发生此现象,同时波激振动也会发生在高频振动的情况下,当发生砰击颤振时也会伴随着波激振动的存在,此时很难区分颤振和波激振动,所以在第 4 章详细分析了颤振的计算过程,本章将会对波激振动的计算进行分析,并考虑波激振动发生时对船体结构疲劳强度的影响,在疲劳计算时也会考虑高频振动的情况。

6.2 波激振动计算

波激振动的计算是基于切片法的原理,利用切片法进行频域计算,得到不同浪向、不同频率下的波浪载荷,通过三维有限元模型进行模态分析并得到固有振动频率,而后进行时域计算,考虑到船体弹性变形,得到计及波激振动的合成载荷。

6.2.1 Frank 源汇分布法

频域计算水动力系数采用 Frank 提出的源汇分布法进行,此方法即为在流场内布置点源或汇来求解对应速度势的方法,不需要进行保角变换,剖面形状没有限制。在每一个切片上流体域内任意一点定义为 $p(x,y)$,$q(\xi,\eta)$ 为点源所在位置。二维无限水深格林函数对应速度势为 $G(p,q)\mathrm{e}^{\mathrm{i}\omega t}$ 满足拉普拉斯条件,q 为奇点,同时要满足自由表面条件、底部条件及远方辐射条件,$G(p,q)$ 表达式为

$$G(p,q) = \ln r - \ln r_1 + PV\int_0^\infty f(\kappa)\mathrm{d}\kappa - i\pi \cdot g(\nu) \tag{6-1}$$

$$f(\kappa) = 2\Delta \frac{\mathrm{e}^{\kappa(y+\eta)}}{\nu - \kappa} \cdot \cos\kappa(x-\xi) \tag{6-2}$$

$$g(\nu) = \lim(\kappa - \nu)f(\kappa) = -2\mathrm{e}^{\nu(y+\eta)}\cos\nu(x-\xi) \tag{6-3}$$

式中,深水波数 $\nu = \omega^2/g$,$f(\kappa) = k$ 处是一个一阶极点:

$$r = r_{pq} = \sqrt{(x-\xi)^2 + (y-\eta)^2}\;;\; r_1 = r_{pq}^- = \sqrt{(x-\xi)^2 + (y+\eta)^2}$$

势流理论中假设流体是理想不可压缩的,流动是无旋的,流场可用速度势来描述

$$\Phi(x,y,t) = Re(\varphi(x,y)\mathrm{e}^{\mathrm{i}\omega t})$$

式中,$\varphi(x,y)$ 满足以下条件:

流场内无旋满足拉普拉斯公式

$$\nabla^2 \varphi = 0 \qquad\qquad (6-4)$$

自由表面条件 $z = 0$

$$\frac{\partial \varphi}{\partial y} - \nu\varphi = 0 \qquad\qquad (6-5)$$

在物面 S 上满足物面条件

$$\frac{\partial \varphi}{\partial n} = V_n \qquad\qquad (6-6)$$

式中，V_n 为物面法向速度。

水底条件

$$\nabla\varphi = 0, \quad y \to -\infty \qquad\qquad (6-7)$$

远方辐射条件

$$\frac{\partial \varphi}{\partial x} \pm i\nu\varphi = 0, \quad x \to \pm\infty \qquad\qquad (6-8)$$

在 $p \neq q$ 时格林函数 $G(p,q)$ 满足拉普拉斯公式，同时满足自由表面、水底条件和远方辐射条件，在外部流场 D 中对 $G(p,q)$ 和 $\varphi(p)$ 应用格林公式导出混合分布模型

$$\int_S \left[G(p,q) \frac{\partial}{\partial n}\varphi(q) - \varphi(q) \frac{\partial}{\partial n} G(p,q) \right] \mathrm{d}l_q = \begin{cases} 2\pi\varphi(p), & p \in D \\ \pi\varphi(p), & p \in S \\ 0, & p \in \overline{D} \end{cases} \qquad (6-9)$$

式中　$\overline{D}$——流体内部区域；

$\dfrac{\partial}{\partial n} G(p,q)$ 和 $G(p,q)$——电偶极和点源。

在 $\overline{D}$ 内构建速度势 $\psi(q)$ 和格林函数 $G(p,q)$，应用格林第二公式：

$$\int_S \left[G(p,q) \frac{\partial}{\partial n}\psi(q) - \psi(q) \frac{\partial}{\partial n} G(p,q) \right] \mathrm{d}l_q = \begin{cases} -2\pi\psi(p), & p \in \overline{D} \\ -\pi\psi(p), & p \in S \\ 0, & p \in D \end{cases} \qquad (6-10)$$

由上面两个公式相减得出：

$$\varphi(p) = \int_S \sigma(q) G(p,q) \mathrm{d}l_q, p \in D \qquad\qquad (6-11)$$

$$\sigma = \frac{1}{2\pi} \left(\frac{\partial \varphi}{\partial n} - \frac{\partial \psi}{\partial n} \right) \qquad\qquad (6-12)$$

上面得到的是分布源模式的积分公式，通过物面条件可以解得分布源密度 σ，由其微分形势可以得到流场和物面上的流体速度。

6.2.2　线元法计算分布源积分公式

积分公式右端在 p 点处法向导数可以分为四部分：

$$\int_S \sigma(q) \frac{\partial}{\partial n_p} \ln r_{pq} \mathrm{d}l_q \qquad\qquad (6-13)$$

$$-\int_S \sigma(q) \frac{\partial}{\partial n_p} \ln r_{p\overline{q}} \mathrm{d}l_q \qquad\qquad (6-14)$$

$$\int_S \sigma(q) \frac{\partial}{\partial n_p} \Big[2 \int_0^\infty \frac{e^{\kappa(y+\eta)}}{\nu - \kappa} \cdot \cos\kappa(x - \xi) d\kappa \Big] dl_q \qquad (6-15)$$

$$\int_S \sigma(q) \frac{\partial}{\partial n_p} \Big[2\pi i e^{\nu(y+\eta)} \cos\nu(x - \xi) \Big] dl_q \qquad (6-16)$$

如图 6.1 所示,取 P 为控制点,线元法通过离散剖面,把积分公式转化为线性代数公式组,将船体切片边界分散为 N 个分段,从而对每个小段分别进行离散求解,如图 6.1 中 $Q_1 Q_2$ 为其中一个小段,设 Q_1 坐标为 (ξ_1, η_1),Q_2 坐标为 (ξ_2, η_2),控制点 P 坐标为 (x, y),在具体操作时可以令

$$x = \frac{\xi_1 + \xi_2}{2}$$

$$y = \frac{\eta_1 + \eta_2}{2}$$

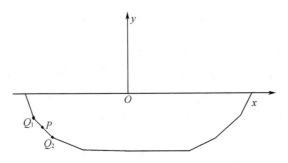

图 6.1 线元法计算原理

参数定义

$$l = \sqrt{(\xi_1 - \xi_2)^2 + (\eta_1 - \eta_2)^2}$$

$$\alpha = \frac{\xi_1 - \xi_2}{l}$$

$$\beta = \frac{\eta_1 - \eta_2}{l}$$

$$m_1 = \alpha(\xi_1 - x) + \beta(\eta_1 - y)$$

$$m_2 = \alpha(\xi_2 - x) + \beta(\eta_2 - y)$$

$$r_1 = \sqrt{(\xi_1 - x)^2 + (\eta_1 - y)^2}$$

$$r_2 = \sqrt{(\xi_2 - x)^2 + (\eta_2 - y)^2}$$

$$d = \alpha(\eta_1 - y) + \beta(\xi_1 - x) = \alpha(\eta_2 - y) + \beta(\xi_2 - x)$$

$Q(\xi, \eta)$ 为线元 $Q_1 Q_2$ 上的点,则

$$\xi = \xi_1 + \alpha s, 0 \le s \le 1$$

$$\eta = \eta_1 + \beta s, 0 \le s \le 1$$

Q 到 P 的距离为 r

$$r^2 = (\xi - x)^2 + (\eta - y)^2 = \big[(\xi_1 - x) + \alpha s\big]^2 + \big[(\eta_1 - y) + \beta s\big]^2$$

$$= r_1^2 + 2m_1 s + s^2 = (s + m_1)^2 + r_1^2 - m_1^2 \qquad (6-17)$$

$$r_1^2 - m_1^2 = (\xi_1 - x)^2 + (\eta_1 - y)^2 - [\alpha(\xi_1 - x) + \beta(\eta_1 - y)]^2$$
$$= [\alpha(\eta_2 - y) + \beta(\xi_2 - x)]^2 = d^2 \qquad (6-18)$$

把控制点取在 $Q_1 Q_2$ 中点,则上式转化为

$$m_1 = \alpha \frac{\xi_1 - \xi_2}{2} + \beta \frac{\eta_1 - \eta_2}{2} = \frac{(\xi_1 - \xi_2)^2 + (\eta_1 - \eta_2)^2}{2l} = \frac{l}{2} \qquad (6-19)$$

$$m_2 = \alpha \frac{\xi_2 - \xi_1}{2} + \beta \frac{\eta_2 - \eta_1}{2} = -\frac{(\xi_2 - \xi_1)^2 + (\eta_2 - \eta_1)^2}{2l} = -\frac{l}{2} \qquad (6-20)$$

式中　$r_1 = r_2 = \dfrac{l}{2}$;

$d = 0$。

数值积分计算实现过程:

1. $I = \displaystyle\int_{Q_1}^{Q_2} \ln r_{pq} ds = \frac{1}{2} \int_0^1 \ln[(s + m_1)^2 + d^2] ds$

$$= \frac{1}{2}(s + m_1) \ln[(s + m_1)^2 + d^2] \Big|_0^l - \int_0^1 \frac{(s + m_1)^2}{(s + m_1)^2 + d^2} ds$$

$$= m_2 \ln r_2 - m_1 \ln r_1 - l + \int_0^1 \frac{d^2}{(s + m_1)^2 + d^2} ds$$

$$= m_2 \ln r_2 - m_1 \ln r_1 - l$$

2. $I_x = \dfrac{\partial}{\partial x} \displaystyle\int_{Q_1}^{Q_2} \ln r_{pq} ds = \int_{Q_1}^{Q_2} \dfrac{x - \xi}{(\xi - x)^2 + (\eta - y)^2} ds = \int_0^1 \dfrac{(x - \xi_1 + \alpha m_1) - \alpha(s + m_1)}{(s + m_1)^2 + d^2} ds$

$$= -\alpha \frac{\ln r_2}{\ln r_1} = -\alpha$$

3. $I_y = \dfrac{\partial}{\partial y} \displaystyle\int_{Q_1}^{Q_2} \ln r_{pq} ds = \int_{Q_1}^{Q_2} \dfrac{y - \eta}{(\xi - x)^2 + (\eta - y)^2} ds = \int_0^1 \dfrac{(y - \eta_1 + \beta m_1) - \beta(s + m_1)}{(s + m_1)^2 + d^2} ds$

$$= -\beta \frac{\ln r_2}{\ln r_1} = -\beta$$

镜像积分用 $(x, -y)$ 取代 (x, y) 即可实现,$I' = I, I'_x = I_x, I'_y = -I_y$。

4. $f(\kappa) = 2 \cdot \dfrac{e^{\kappa(y + \eta)}}{\nu - \kappa} \cdot \cos\kappa(x - \xi)$

$$G'(p, q) = \int_0^\infty \frac{e^{k(y + \eta)}}{\kappa - \nu} \cos\kappa(x - \xi) d\kappa$$

令

$$z_j = -(y + \eta_j) - i(x - \xi_j), \quad -\frac{\pi}{2} < \arg z_j < \frac{\pi}{2} (j = 1, 2)$$

$$H(z) = \int_0^\infty \frac{e^{-kz}}{\kappa - \nu} d\kappa, Re(z) > 0$$

$$\int_{Q_1}^{Q_2} G'(p, q) ds = Re \int_0^\infty \frac{1}{\kappa - \nu} d\kappa \int_0^1 e^{-\kappa z} ds = Re \int_0^\infty \frac{1}{\kappa - \nu} d\kappa e^{-\kappa z_1} \int_0^1 e^{-\kappa(\beta - i\alpha)s} ds$$

$$= Re \left[\int_0^\infty \frac{(\beta + i\alpha)}{\kappa(\kappa - \nu)} (e^{-\kappa z_2} - e^{-\kappa z_1}) d\kappa \right]$$

$$= Re \left\{ \frac{(\beta + i\alpha)}{\nu} \left[\int_0^\infty \frac{e^{-\kappa z_2} - e^{-\kappa z_1}}{\kappa - \nu} d\kappa - \int_0^\infty \frac{e^{-\kappa z_2} - e^{-\kappa z_1}}{\kappa} d\kappa \right] \right\}$$

$$\int_0^\infty \frac{e^{-\kappa z_2} - e^{-\kappa z_1}}{\kappa - \nu} d\kappa = H(z_2) - H(z_1) - \int_0^\infty \frac{e^{-\kappa z_2} - e^{-\kappa z_1}}{\kappa} d\kappa$$

$$= \int_0^\infty \frac{d\kappa}{\kappa} \int_{z_1}^{z_2} \kappa e^{-\kappa \omega} d\omega = \int_{z_1}^{z_2} \frac{d\omega}{\omega} = \ln \frac{z_2}{z_1}$$

由此可得

$$\int_{Q_1}^{Q_2} G'(p,q) ds = Re\left\{\frac{(\beta + i\alpha)}{\nu} \left[H(z_2) + \ln z_2 - H(z_1) - \ln z_1 \right]\right\}$$

5. $\displaystyle \int_{Q_1}^{Q_2} \frac{\partial G'(p,q)}{\partial x} ds = \int_0^l ds \int_0^\infty \frac{-\kappa}{\kappa - \nu} e^{\kappa(y+\eta)} \sin\kappa(x - \xi) d\kappa$

$$= - Im \int_0^l ds \int_0^\infty \frac{\kappa}{\kappa - \nu} e^{-\kappa z} d\kappa = - Im\left[\int_0^\infty \frac{d\kappa}{\kappa - \nu} \left(\frac{e^{-\kappa z_2} - e^{-\kappa z_1}}{\beta - i\alpha} \right) \right]$$

$$= - Im\{ (\beta + i\alpha) [H(z_2) - H(z_1)] \}$$

6. $\displaystyle \int_{Q_1}^{Q_2} \frac{\partial G'(p,q)}{\partial y} ds = \int_0^l ds \int_0^\infty \frac{-\kappa}{\kappa - \nu} e^{\kappa(y+\eta)} \cos\kappa(x - \xi) d\kappa$

$$= Re \int_0^l ds \int_0^\infty \frac{\kappa}{\kappa - \nu} e^{-\kappa z} d\kappa = Re\left[\int_0^\infty \frac{d\kappa}{\kappa - \nu} \left(\frac{e^{-\kappa z_2} - e^{-\kappa z_1}}{\beta - i\alpha} \right) \right]$$

$$= Re\{ (\beta + i\alpha) [H(z_2) - H(z_1)] \}$$

7. $\displaystyle H(z) = \int_0^\infty \frac{e^{-kz}}{\kappa - \nu} d\kappa = \int_{-\nu}^\infty e^{-\nu z} \frac{e^{-kz}}{\kappa - \nu} d\kappa$

$$= e^{-\nu z} \int_{-\nu z}^\infty \frac{e^{-t}}{t} dt, t = \kappa z$$

$$= e^{-\nu z} \left[\int_{-\nu z}^\infty \frac{e^{-t}}{t} dt + i\pi \right], x - \xi \geqslant 0$$

$$= e^{-\nu z} \left[\int_{-\nu z}^\infty \frac{e^{-t}}{t} dt - i\pi \right], x - \xi \leqslant 0$$

$$= e^{-\nu z} \left[-\gamma - \ln(\nu z) - \sum_{n=1}^\infty \frac{(-\nu z)^n}{n n!} \pm i\pi \right], \gamma \text{ 为欧拉常数}$$

$$= e^{-\nu z} \left[-\gamma - \ln(\nu z) - i\theta - \sum_{n=1}^\infty \frac{\bar{r}^n(\cos n\theta + i\sin n\theta)}{n n!} \right]$$

$$\bar{r} = |\nu z_j| \quad \theta = \arg z_j = \arctan \frac{x - \xi_j}{y + \eta_j}$$

通过以上方法进行格林函数实部和虚部的求解,并同时求得相应的导数值,从而得到速度势,求解速度势后求解水动力系数。

实数 a_{ij}、$b_{ij}(i,j=1,2,3)$ 为二维附加质量和阻尼系数,其表达式为

$$\begin{cases} a_{ij} = \rho \int_S \varphi_c(x,y) \, n_i dl \\ b_{ij} = - \omega\rho \int_S \varphi_s(x,y) \, n_i dl \end{cases} \tag{6-21}$$

其中,φ_c 和 φ_s 为空间速度势 φ 的实部和虚部,给出对称运动公式和反对称运动公式

$$\begin{cases} (M + A_{33}) \ddot{\eta}_3 + B_{33} \dot{\eta}_3 + C_{33}\eta_3 + A_{35} \ddot{\eta}_5 + B_{35} \dot{\eta}_5 + C_{35}\eta_5 = F_3 e^{i\omega_e t} \\ A_{53} \ddot{\eta}_3 + B_{53} \dot{\eta}_3 + C_{53}\eta_3 + (I_5 + A_{55}) \ddot{\eta}_5 + B_{55} \dot{\eta}_5 + C_{55}\eta_5 = F_5 e^{i\omega_e t} \end{cases} \tag{6-22}$$

$$\begin{cases} (M + A_{22})\,\ddot{\eta}_2 + B_{22}\,\dot{\eta}_2 + (A_{24} - Mz_c)\,\ddot{\eta}_4 + B_{24}\,\dot{\eta}_4 + B_{26}\,\ddot{\eta}_6 + B_{26}\,\dot{\eta}_6 = F_2 e^{i\omega_e t} \\ (A_{42} - Mz_c)\,\ddot{\eta}_2 + B_{42}\,\dot{\eta}_2 + (A_{44} - I_4)\,\ddot{\eta}_4 + C_{44}\eta_4 + (A_{46} - I_{46})\,\ddot{\eta}_6 + B_{46}\,\dot{\eta}_6 = F_4 e^{i\omega_e t} \\ A_{62}\,\ddot{\eta}_2 + B_{62}\,\dot{\eta}_2 + (A_{64} - I_{46})\,\ddot{\eta}_4 + B_{24}\,\dot{\eta}_4 + B_{64}\,\dot{\eta}_4 + (A_{66} + I_6)\,\ddot{\eta}_6 + B_{66}\,\dot{\eta}_6 = F_6 e^{i\omega_e t} \end{cases}$$

$$(6-23)$$

从二维拉普拉斯公式和自由面条件可以看出，速度势求解是横剖面上的二维问题解，考虑到物面条件，同时根据细长体假设，把单位法向 n 换成横剖面平面曲线的法向 $N(0, N_1, N_2)$：

横剖面弗劳德 – 克利洛夫力和横剖面绕射力

$$f_j(x) = g e^{-i\upsilon x\cos\beta} \int_{s_x} n_j e^{i\upsilon y\sin\beta} e^{\upsilon z}\mathrm{d}l \tag{6-24}$$

$$h_j(x) = \omega e^{-i\upsilon x\cos\beta} \int_{s_x} (iN_3 - N_2\sin\beta) e^{i\upsilon y\sin\beta} e^{\upsilon z} \psi_j\mathrm{d}l, j = 2,3,4 \tag{6-25}$$

6.2.3　三维有限元模型振动模态计算

船体振动模态计算可以利用一维梁模型通过迁移矩阵法进行计算，本书采用三维船体有限元模型计算振动模态，这种方法更加准确，本书计算时三维有限元模型网格较细致，计算完成后可以提取对应节点的振动数据作为切片法计算准备文件，数据更加准确。

三维有限元计算自由振动时，模拟船体在水中呈自由悬浮状态，各节点不加约束，边界条件为自由边界，在计算湿模态振动时要考虑附连水质量，船体附连水质量是在 MSC/NASTRAN 内通过定义有限元模型湿表面单元和吃水高度来自动实现计算，其理论是用 Helmholtz 方法求解流体运动的拉普拉斯公式，在二维切片计算时切片上的型值点与有限元单元的节点是对应的，见图5.7至图5.9，通过三维有限元模型进行模态分析后可以直接提取节点位移、集中应力等数据，以便完成后续计算。

计算完成后，船体干模态各个主振动位移、转角、剪力振型为 $w_r(x)$，$\theta_r(x)$，$\gamma_r(x)$，ω_r 为 r 阶固有振动频率，则

$$\begin{cases} w_r(x,t) = w_r(x)\sin\omega_r t \\ \theta_r(x,t) = \theta_r(x)\sin\omega_r t \\ \gamma_r(x,t) = \gamma_r(x)\sin\omega_r t \end{cases} \tag{6-26}$$

6.2.4　波激振动对称响应计算

切片与波浪的相对位移 $w_l(x,t) = w(x,t) - \xi(x,t)$，$w(x,t)$ 为切片垂向位移，$\xi(x,t)$ 为波面升高，利用新切片理论，对称运动流体作用力如下：

$$z(x,t) = -\left\{ \frac{D}{Dt}\Big[(m(x) + \frac{i}{\omega_e}N(x)) \frac{D w_l(x,t)}{Dt} \Big] + \rho g B(x)w_l(x,t) \right\} \tag{6-27}$$

式中　$m(x)$——分段平均附加质量；

　　　$N(x)$——阻尼系数；

　　　$B(x)$——切片宽度。

根据董艳秋在其《波浪外荷及水弹性》书中提到的算法，将流体总用力分为与运动有关的作用力 $H(x)$ 和与波浪激振力有关的作用力 $F(x,t)$

$$z(x,t) = -H(x,t) + F(x,t)$$

式中

$$H(x,t) = \left[m(x) + \frac{iN(x)}{\omega_e} \right] \frac{D^2 w(x,t)}{Dt^2} - V_0 \left[m'(x) + \frac{i N'(x)}{\omega_e} \right] \frac{Dw(x,t)}{Dt} + \rho g B(x,t) w(x,t)$$

$$(6-28)$$

$$H(x,t) = \left[m(x) + \frac{iN(x)}{\omega_e} \right] \frac{D^2 \xi(x,t)}{Dt^2} - V_0 \left[m'(x) + \frac{i N'(x)}{\omega_e} \right] \frac{D\xi(x,t)}{Dt} + \rho g B(x,t) \xi(x,t)$$

$$(6-29)$$

$P_r(t)$ 代表第 r 个干模态的主坐标,将船体垂向位移表示成各模态上位移之和:

$$w(x,t) = \sum_{r=0}^{\infty} p_r(t) w_r(x) \tag{6-30}$$

第 2 章讨论的模态分析公式(2-47)右端的广义流体作用力可以写成如下两部分:

$$H_r(t) = \int_0^l H(x,t) w_r(x) \mathrm{d}x \tag{6-31}$$

$$\Pi_r(t) = \int_0^l F(x,t) w_r(x) \mathrm{d}x \tag{6-32}$$

由此得到流体总作用力为

$$\int_0^l z\, w_r(x) \mathrm{d}x = -H_r(t) + \Pi_r(t) \tag{6-33}$$

定义系数 a_{ss} 和 c_{ss}:

$$a_{ss} = \int_0^l (\mu\, w_r^2 + I_y\, \theta_r^2) \mathrm{d}x \tag{6-34}$$

$$c_{ss} = \omega_s^2 a_{ss} \tag{6-35}$$

每一个切片的单位质量为 μ,I_y 为惯性矩,广义阻尼矩阵

$$b_{ss} = 2\, a_{ss} \omega_s \nu_s \tag{6-36}$$

ν_s 为第 s 个主振动模态的阻尼系数,阻尼系数的计算采用阿特森和迪莱木尔提出的经验公式

$$\nu_s = 7.3 \times 10^{-3} \omega_r$$

把流体作用力代入对称振动公式:

$$a_{ss}\, \ddot{p}_s(t) + a_{ss} \omega_s^2 p_s(t) + b_{ss}\, \dot{p}_s(t) + \sum_{r=0}^{\infty} A_{rs}\, \ddot{p}_r(t) + B_{rs}\, \dot{p}_r(t) + c_{rs} p_r(t) = \Pi_s \mathrm{e}^{-i\omega_e t}$$

$$(6-37)$$

式中　　A_{rs} —— 广义流体质量;

　　　　B_{rs} —— 广义流体阻尼;

　　　　C_{rs} —— 广义流体刚度。

通过解上述微分公式得到主坐标,船体位移的计算即为各模态上位移分量之和,从而得到时域的位移、弯矩和切力计算结果:

$$w(x,t) = \mathrm{e}^{-i\omega_e t} \sum_{r=0}^{n} p_r w_r(x) \tag{6-38}$$

$$M(x,t) = \mathrm{e}^{-i\omega_e t} \sum_{r=0}^{n} p_r M_r(x) \tag{6-39}$$

$$V(x,t) = \mathrm{e}^{-\mathrm{i}\omega_e t} \sum_{r=0}^{n} p_r V_r(x) \qquad (6-40)$$

6.2.5 波激振动反对称响应计算

在计算波激振动时要考虑到各种浪向条件,对称振动计算只在迎浪和随浪时适用,在斜浪时并不适用,所以在计算斜浪航行时要进行反对称计算,要考虑到沿着船宽的波浪变化因素,从而对振动公式进行修正。

在模态分析后得到反对称干模态计算结果,对船体第 r 个主振动 y 方向的弯曲位移 v、转角 θ、扭转角 ϕ、切力 τ、弯矩 M、转矩 T 可做如下计算:

$$\begin{cases} v(x,t) = v_r(x,t)\sin\omega_r t \\ \theta(x,t) = \theta_r(x,t)\sin\omega_r t \\ \varphi(x,t) = \varphi_r(x,t)\sin\omega_r t \\ \tau(x,t) = \tau_r(x,t)\sin\omega_r t \\ M(x,t) = M_r(x,t)\sin\omega_r t \\ T(x,t) = T_r(x,t)\sin\omega_r t \end{cases} \qquad (6-41)$$

所以反对称计算时波面升高要考虑到 y 方向的变化:

$$\xi(x,y,t) = a\cos(kx\cos\beta + ky\sin\beta - \omega_e t) \qquad (6-42)$$

考虑到史密斯修正后的计算公式如下:

$$\xi(x,y,t) = a\mathrm{e}^{-kT' + \mathrm{i}(kx\cos\beta + ky\sin\beta - \omega_e t)} \qquad (6-43)$$

其中,T' 为有效吃水,其计算方式如下:

$$T' = -\frac{1}{k}\ln\left[1 - \frac{k}{y(x)}\int_{-T}^{0} y(z)\,\mathrm{e}^{kz}\mathrm{d}z\right] \qquad (6-44)$$

波浪在 y 方向变化率 χ 可以通过在 y 方向的导数来求解:

$$\chi = \frac{\partial\xi}{\partial y} = -ak\sin\beta\mathrm{e}^{-kT'}\sin(kx\cos\beta + ky\sin\beta - \omega_e t) \qquad (6-45)$$

y 方向平均变化率为

$$\bar{\chi} = \frac{\partial\xi}{\partial y} = -ak\sin\beta\mathrm{e}^{-kT'}\alpha(x)\sin(kx\cos\beta - \omega_e t) \qquad (6-46)$$

y 方向平均变化率的时间导数如下:

$$\frac{D\bar{\chi}}{Dt} = ak\omega\sin\beta\alpha(x)\mathrm{e}^{-kT'}\cos(kx\cos\beta - \omega_e t) \qquad (6-47)$$

$$\frac{D^2\bar{\chi}}{Dt^2} = ak\omega^2\sin\beta\alpha(x)\mathrm{e}^{-kT'}\sin(kx\cos\beta - \omega_e t) \qquad (6-48)$$

式中,$\alpha(x)$ 为波浪升高系数,用 $2L$ 表示切片宽度,则 $\alpha(x)$ 定义如下:

$$\alpha(x) = \frac{\sin(Lk\sin\beta)}{Lk\sin\beta} \qquad (6-49)$$

船体与波浪的相对横摇为

$$\bar{\varphi}(x,t) = \varphi(x,t) - \bar{\chi}(x,t) \qquad (6-50)$$

流体在 y 方向的速度计算如下:

$$V_y(x,y,t) = a\omega\sin\beta\mathrm{e}^{-kT'}\cos(kx\cos\beta + ky\sin\beta - \omega_e t) \qquad (6-51)$$

z_s 表示剪切中心的垂向坐标,船体与波浪的相对速度如下:

$$\frac{D\bar{v}}{Dt} = \frac{D[v(x,t) - \varphi(x,t)z_s]}{Dt} - a\omega\sin\beta\alpha(x)e^{-kT'}\cos(kx\cos\beta + ky\sin\beta - \omega_e t) \quad (6-52)$$

流体对船体的作用力和力矩可以分为流体动力部分 F_D、K_D 和波浪干扰力部分 F_{f-k}

$$F_D(x,t) = -\frac{D}{Dt}\left\{\left[m_y(x) + \frac{i}{\omega_e}N_y(x)\right]\frac{D\bar{v}(x,t)}{Dt}\right\} - \frac{D}{Dt}\left\{\left[m_{y\varphi}(x) + \frac{i}{\omega_e}N_{y\varphi}(x)\right]\frac{D\bar{\varphi}(x,t)}{Dt}\right\}$$
$$(6-53)$$

$$K_D(x,t) = -\frac{D}{Dt}\left\{\left[m_{\varphi y}(x) + \frac{i}{\omega_e}N_{\varphi y}(x)\right]\frac{D\bar{v}(x,t)}{Dt}\right\} -$$
$$\frac{D}{Dt}\left\{\left[I_x(x) + \frac{i}{\omega_e}N_\varphi(x)\right]\frac{D\bar{\varphi}(x,t)}{Dt}\right\} \quad (6-54)$$

式中 $m_y(x)$, $N_y(x)$——横荡运动附加质量和阻尼系数;

$m_{y\varphi}(x)$, $N_{y\varphi}(x)$——横摇对横荡运动进行耦合的阻尼系数;

$I_y(x)$, $N_\varphi(x)$——横摇附加惯性据和横摇阻尼系数;

$m_{\varphi y}(x)$, $N_{\varphi y}(x)$——横荡对横摇运动进行耦合的附加质量和阻尼系数。

波浪干扰力计算时考虑到史密斯修正,其计算公式如下:

$$F_{f-k} = -iak\rho g s(x)\alpha(x)\sin\beta e^{-kT'}e^{i(kx - \omega_e t)} \quad (6-55)$$

由干扰力可以求得相对质心的横摇力矩。

在第 s 个模态上的广义作用力沿全船进行积分计算:

$$\int_0^l \left\{\left[F_D(x,t) + F_{f-k}(x,t)\right](v_s - \bar{z}\varphi_s) + K(x,t)\varphi_s\right\}dx \quad (6-56)$$

把横向位移和扭转角写成各个模态分量之和的形式:

$$v(x,t) = \sum_{r=0}^{\infty} p_r(t)v_r \quad (6-57)$$

$$\varphi(x,t) = \sum_{r=0}^{\infty} p_r(t)\varphi_r \quad (6-58)$$

通过上述过程的计算,把波浪作用力代入反对称强迫振动公式中:

$$\sum_{r=0}^{\infty}\left[\alpha_{rs}\delta_{rs}\ddot{p}_r(t) + \omega_r^2\alpha_{rs}\delta_{rs}p_r(t) + (\alpha_{rs} + \beta_{rs} + \Gamma_{rs})\dot{p}_r(t)\right] +$$
$$\sum_{r=0}^{\infty}\left[\ddot{p}_r(t)A_{rs} + p_r(t)C_{rt} + \dot{p}_r(t)B_{rs}\right] = \Pi_s e^{-i\omega_e t} \quad (6-59)$$

用矩阵形式来表示波激振动反对称公式:

$$\left[(c+C) - \omega_e^2(a+A) - i\omega_e(b+B)\right]p = \Pi \quad (6-60)$$

式中 a——干模态广义质量矩阵;

c——干模态广义刚度矩阵;

b——干模态阻尼矩阵;

A——流体附加质量矩阵;

B——流体阻尼矩阵;

C——流体刚度矩阵;

Π——波浪激振力幅值矩阵。

通过求解代数公式组可以得到主坐标 p 的复数解,根据公式(6-41)可以求得船舶波激振动的时域弯曲位移和扭转。

6.3　波激振动对疲劳损伤的影响

计算波激振动对疲劳损伤的影响可以采用谱分析的方法来完成,3.3 节详细介绍了谱分析的计算原理,谱分析要在所有海况下进行预报,同时还要考虑到不同浪向和航速的影响,所以在进行疲劳损伤分析时要在每一个短期海况进行波激振动的计算,分析波激振动引起的波浪弯矩对船体结构疲劳损伤的影响,在此基础上进行长期疲劳损伤分析。

考虑波激振动效应的疲劳损伤分析在不同的海浪谱下计算结果会有差异,可以根据不同海况资料进行计算,在发生砰击的情况下,除了由砰击引起的颤振效应外还存在高频波激振动的效应,在计算时也要考虑进来。

6.4　实　船　计　算

6.4.1　三维有限元全船模态分析

三维全船有限元模型见图 3.2 至图 3.4,湿表面加载要根据不同的吃水情况选择出湿表面单元,在计算湿模态振动时要在这些面元上进行附连水质量的计算,如图 6.2 所示。

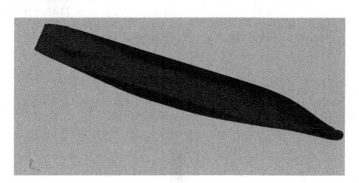

图 6.2　根据吃水确定湿表面

此处直接给出计算结果,船体振动计算分为两种工况,即压载工况和设计吃水满载工况,模态固有振动频率计算结果如表 6.1 所示。

表 6.1　固有振动计算结果

模态	工况	垂向振动/Hz			扭转/Hz	水平/Hz		
		1 阶	2 阶	3 阶	1 阶	1 阶	2 阶	3 阶
干模态	满载	0.602	1.135	1.724	0.528	0.655	1.244	1.679
	压载	0.703	1.308	1.854	0.623	0.957	1.686	2.402

表 6.1（续）

模态	工况	垂向振动/Hz			扭转/Hz	水平/Hz		
		1 阶	2 阶	3 阶	1 阶	1 阶	2 阶	3 阶
湿模态	满载	0.521	0.986	1.523	0.412	0.531	0.975	1.417
	压载	0.581	1.098	1.672	0.513	0.816	1.478	2.147

干模态振动模态云图如图 6.3 至图 6.10 所示。

MSC.Patran 2005 r2 16-Jan-13 14:04:43
Fringe:Default,Mode 3:Freq.= 0.47071,Eigenvectors,Translational,Magnitude,(NON-LAYERED)
Deform:Default,Mode 3:Freq.=0.47071,Eigenyectors,Translational.

5.75-003

default_Fringe:
Max5.75-003@Nd56009
Min1.95-005@234203

图 6.3　一阶垂向满载

MSC.Patran 2005 r2 16-Jan-13 14:09:24
Fringe:Default,Mode 5:Freq.= 0.8968,Eigenvectors,Translational,Magnitude,(NON-LAYERED)
Deform:Default,Mode 5:Freq.=0.8968,Eigenyectors,Translational.

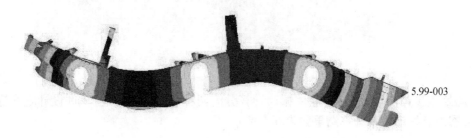

5.99-003

default_Fringe:
Max5.99-003@Nd56009
Min7.27-006@Nd6498

图 6.4　二阶垂向满载

MSC.Patran 2005 r2 18-Jan-13 15:25:34
Fringe:Default,Mode 13:Freq.=1.2789,Eigenvectors,Translational,Magnitude,(NON-LAYERED)
Deform:Default,Mode 13:Freq.=1.2789,Eigenyectors,Translational.

9.11-003

default_Fringe:
Max9.11-003@Nd276145
Min8.79-006@49300

图 6.5   三阶垂向满载

MSC.Patran 2005 r2 16-Jan-13 14:00:28
Fringe:Default,Mode 1:Freq.= 0.29962,Eigenvectors,Translational,Magnitude,(NON-LAYERED)
Deform:Default,Mode 1:Freq.=0.29962,Eigenyectors,Translational.

5.32-003

default_Fringe:
Max5.32-003@Nd275701
Min5.20-006@22759

图 6.6   一阶扭转满载

MSC.Patran 2005 r2 16-Jan-13 20:41:43
Fringe:Default,Mode 2:Freq.= 0.7158,Eigenvectors,Translational,Magnitude,(NON-LAYERED)
Deform:Default,Mode 2:Freq.=0.7158,Eigenyectors,Translational.

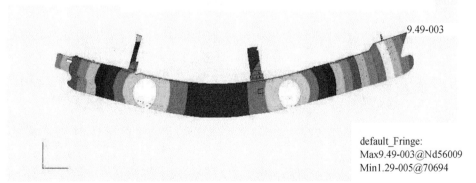

9.49-003

default_Fringe:
Max9.49-003@Nd56009
Min1.29-005@70694

图 6.7   一阶垂向压载

MSC.Patran 2005 r2 17-Jan-13 20:50:04
Fringe:Default,Mode 4:Freq.= 1.3555,Eigenvectors,Translational,Magnitude,(NON-LAYERED)
Deform:Default,Mode 4:Freq.=1.3555,Eigenyectors,Translational.

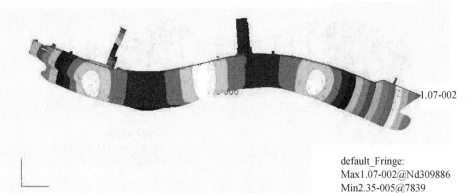

default_Fringe:
Max1.07-002@Nd309886
Min2.35-005@7839

图6.8 二阶垂向压载

MSC.Patran 2005 r2 18-Jan-13 15:47:01
Fringe:Default,Mode 9:Freq.= 2.4368,Eigenvectors,Translational,Magnitude,(NON-LAYERED)
Deform:Default,Mode 9:Freq.=2.4368,Eigenyectors,Translational.

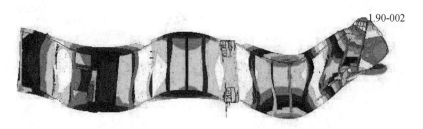

default_Fringe:
Max1.90-002@Nd53580
Min4.70-006@131419

图6.9 三阶垂向压载

MSC.Patran 2005 r2 17-Jan-13 20:41:07
Fringe:Default,Mode 1:Freq.=0.51623,Eigenvectors,Translational,Magnitude,(NON-LAYERED)
Deform:Default,Mode 1:Freq.=0.51623,Eigenyectors,Translational.

default_Fringe:
Max9.66-003@Nd275701
Min6.17-006@28385

图6.10 一阶扭转压载

6.4.2　波激振动响应计算

首先给出波激振动对称响应的计算结果,该 16 000TEU 集装箱船设计航速 22.5 kn,分别计算迎浪满载四个航速为 $3V_d/4$、$V_d/2$ 和 $V_d/4$ 的情况,首先给出主值坐标幅值随遭遇频率和船长波长比的变化,计算结果如图 6.11 至图 6.18 所示。

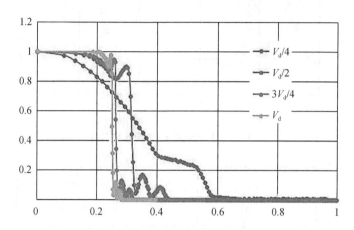

图 6.11　主值坐标 p_0 – 遭遇频率

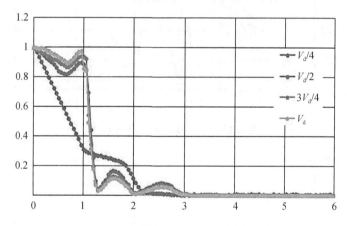

图 6.12　主值坐标 p_0 – 船长波长比

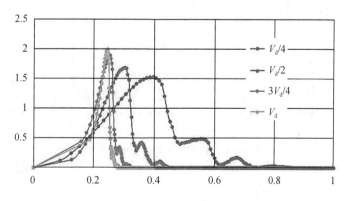

图 6.13　主值坐标 p_1 – 遭遇频率

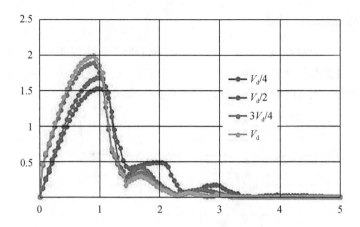

图 6.14　主值坐标 p_1 – 船长波长比

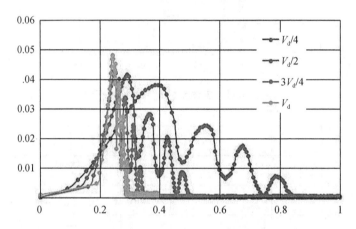

图 6.15　主值坐标 p_2 – 遭遇频率

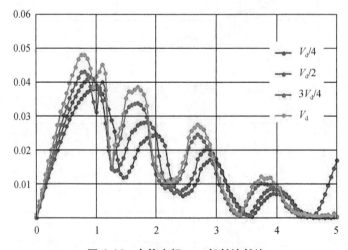

图 6.16　主值坐标 p_2 – 船长波长比

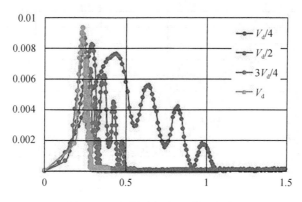

图 6.17　主值坐标 p_3 – 遭遇频率

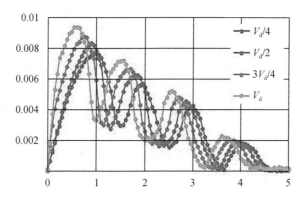

图 6.18　主值坐标 p_3 – 船长波长比

从图 6.19 和图 6.20 中可以看出航速的增加使主值坐标变大, p_0 在船长与波长相等时会出现一个小的波峰, p_1 的峰值出现在 $L/\lambda = 1$ 附近区域, p_2 的计算结果可以看出航速增加会导致出现两个峰值,两个峰值出现在 $L/\lambda = 1$ 左右两侧。

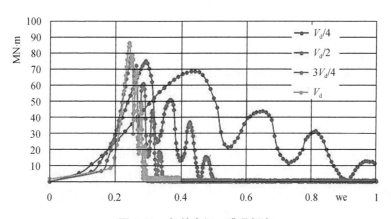

图 6.19　船舯弯矩 – 遭遇频率

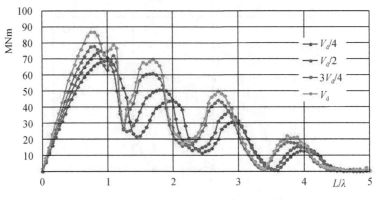

图 6.20　船舯弯矩－船长波长比

在疲劳计算时重点关注船舯处弯矩的变化,此处给出迎浪满载船舯弯矩变化曲线:

从船舯弯矩变化可以看出,在弯矩计算上主值坐标 p_2 起到主要作用,垂向弯矩计算结果变化趋势与 p_2 的变化较为一致。

为了给出波激振动的响应需要观察高频范围主值坐标和弯矩变化的规律,此处给出航速 $V_d/2$ 满载情况下主值坐标的变化规律。

主值坐标 p_2、p_3 和 p_4 出现峰值的坐标点分别为 $\omega_e = 0.534$,$\omega_e = 0.984$ 和 $\omega_e = 1.511$。

这三个点与全船有限元计算的船体湿模态固有振动频率极其接近,从而可以判断出波激振动出现在遭遇频率与船体湿固有振动频率接近的情况下,这也就印证了波激振动产生的机理。低频范围主值坐标、高频范围主值坐标－船长波长比、高频范围主值坐标－遭遇频率如图 6.21 至图 6.23 所示。

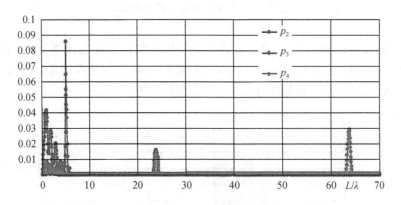

图 6.21　低频范围主值坐标

在船舶在斜浪中航行时进行反对称波激振动响应计算,在计算疲劳损伤时假定船舶在 $0° \sim 360°$ 航行,每 $15°$ 为一个步长,每个浪向均匀分布,考虑到船体对称性,计算时需在 $0° \sim 180°$ 的范围内进行计算,所以才出给出各个浪向下舯剖面响应计算结果,如图 6.24 至图 6.39 所示。

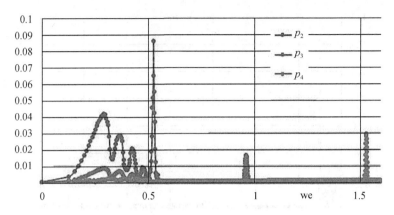

图 6. 22　高频范围主值坐标 – 船长波长比

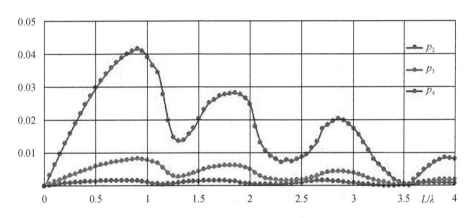

图 6. 23　高频范围主值坐标 – 遭遇频率

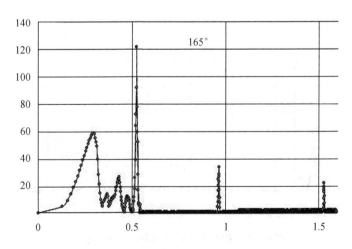

图 6. 24　浪向角 165°垂向弯矩响应 – 遭遇频率

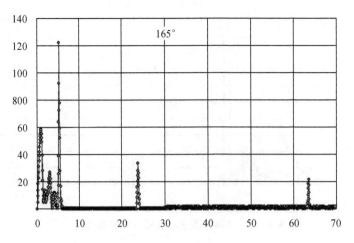

图 6.25 浪向角 165°垂向弯矩响应 – L/λ

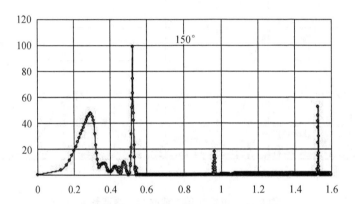

图 6.26 浪向角 150°垂向弯矩响应 – 遭遇频率

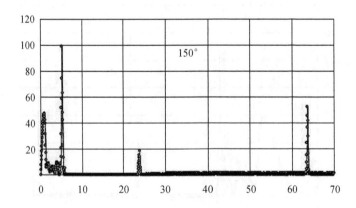

图 6.27 浪向角 150°垂向弯矩响应 – L/λ

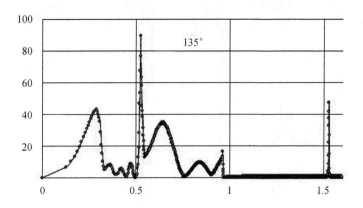

图 6.28　浪向角 135°垂向弯矩响应 – 遭遇频率

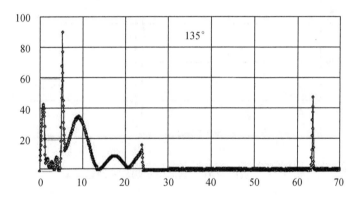

图 6.29　浪向角 135°垂向弯矩响应 – L/λ

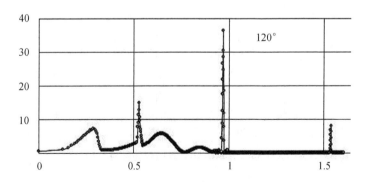

图 6.30　浪向角 120°垂向弯矩响应 – 遭遇频率

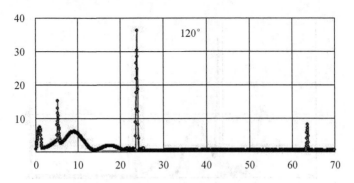

图 6.31 浪向角 120°垂向弯矩响应 − L/λ

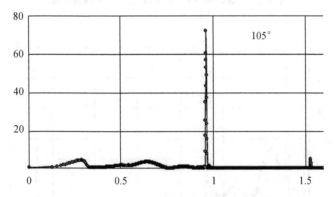

图 6.32 浪向角 105°垂向弯矩响应 − 遭遇频率

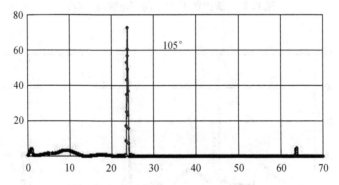

图 6.33 浪向角 105°垂向弯矩响应 − L/λ

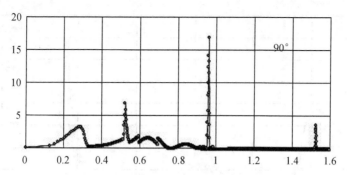

图 6.34　浪向角 90°垂向弯矩响应 – 遭遇频率

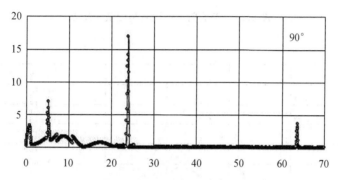

图 6.35　浪向角 90°垂向弯矩响应 $-L/\lambda$

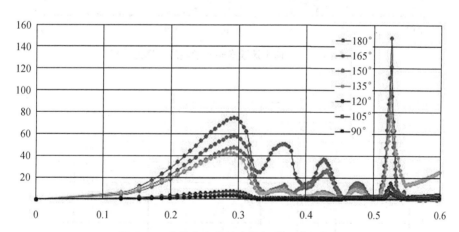

图 6.36　各浪向下波浪弯矩幅值 – 遭遇频率

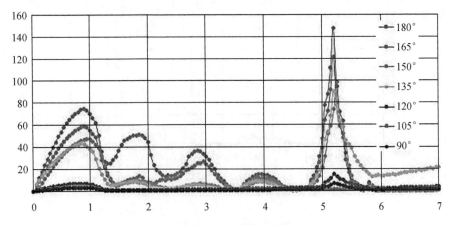

图 6.37　各浪向下波浪弯矩幅值 − L/λ

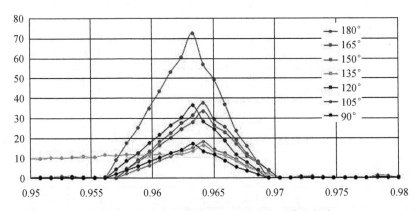

图 6.38　各浪向下波浪弯矩一阶响应 − 遭遇频率

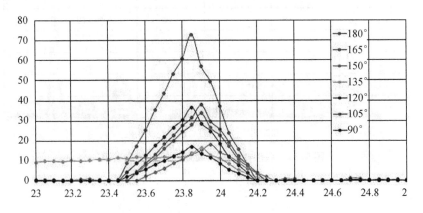

图 6.39　各浪向下波浪弯矩一阶响应 − L/λ

各个浪向下弯矩幅值如图 6.40 和图 6.41 所示。

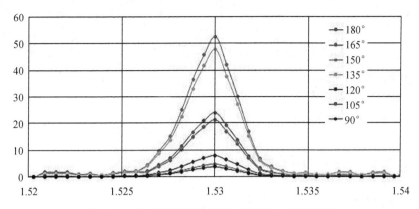

图 6.40　各浪向下波浪弯矩二阶响应 – 遭遇频率

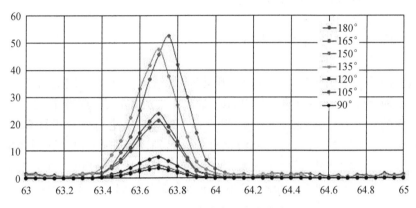

图 6.41　各浪向下波浪弯矩二阶响应 – L/λ

从上面数据可以看出,波激振动反对称响应仍然出现在湿固有振动频率附近,但随着浪向角的变化其共振幅值会有所变化,浪向角增大时弯矩响应逐渐从一阶转化到二阶三阶,当浪向角达到 120° 时二阶谐振起到主要作用,浪向角 105° 时一阶共振已经被弱化,而到横浪航行时三阶振动开始增强。

6.4.3　计及波激振动和砰击效应疲劳损伤计算

根据第 3 章谱分析计算原理分析波激振动及砰击引起的高频颤振对疲劳损伤产生的影响,首先采用谱分析法计算波激振动及颤振引起的弯矩对船体结构疲劳损伤的影响,以此为计算基础进行长期分析,对不同浪向、不同海况及装载状态对振动引起的疲劳损伤的影响进行分析。

计算时航速的选择根据表 4.1 来设定,航向从 0° ~ 180° 进行计算,以 15° 为一个步长,装载工况仍然选择满载和压载两个工况进行计算。海浪谱选择全球海况和北大西洋海况分别进行计算,能量谱选择双参数 P – M 谱,波浪谱表达式为

$$G_{\eta\eta}(\omega) = \frac{H_s^2}{4\pi} \left(\frac{2\pi}{T_z}\right)^4 \omega^{-5} \exp\left[-\frac{\left(\frac{2\pi}{T_z\omega}\right)^4}{\pi}\right]　　　(6-61)$$

进行应力范围长期分布计算,采用应力范围长期 Weibull 分布形式计算,疲劳累计损伤度计算如下:

$$D = \frac{T_D}{a}\Gamma\left(1 + \frac{m}{2}\right)\sum_{n=1}^{N_{\text{load}}} p_n \sum_{i=1}^{n_S} \sum_{j=1}^{n_H} p_i\, p_j\, \nu_{ijn}\left(2\sqrt{2\,m_{0ij}}\right)^m \quad (6-62)$$

式中 T_D——设计疲劳寿命;

D——疲劳累积损伤度;

a,m——$S-N$ 曲线参数;

N_{load}——装载总数;

P_n——第 n 个装载状态所占比例;

$\Gamma(1+m/2)$ 为伽马函数;

n_s——海况总数;

n_H——划分的航向总数;

p_i——第 i 个海况出现的概率;

p_j——第 j 个航向频率;

ν_{ijn}——交变应力响应平均过零率;

m_{0ij}——零阶矩。

疲劳损伤的计算结果与疲劳载荷谱的确定有关,在时间历程一定的情况下,不同的载荷记数方法差别会很大,本章计算采用 Wetzel 给出的雨流计数法确定载荷谱。

根据上面的计算方法,对北大西洋海浪谱和全球海浪谱进行谱分析计算,由于不同的海区长期波浪参数有较大差别,遭遇波浪也有很大差别,所以在工程实践中要根据不同航线进行长期分析,本书主要根据两个较常用的海浪谱进行计算,分析不同海浪谱造成的疲劳损伤的差异。北大西洋海浪散布图、全球海浪散布图分别如表 6.2 和表 6.3 所示。

表 6.2 北大西洋海浪散布图

		波浪周期/sec											周期总和/sec
		3.5	4.5	5.5	6.5	7.5	8.5	9.5	10.5	11.5	12.5	13.5	
波高/m	0.5	8	260	1 344	2 149	1 349	413	76	10	1	—	—	5 610
	1.5	—	55	1 223	5 349	7 569	4 788	1 698	397	69	9	1	21 158
	2.5	—	9	406	3 245	7 844	7 977	4 305	1 458	351	65	10	25 670
	3.5	—	2	113	1 332	4 599	6 488	4 716	2 092	642	149	28	20 161
	4.5	—	—	30	469	2 101	3 779	3 439	1 876	696	192	43	12 625
	5.5	—	—	8	156	858	1 867	2 030	1 307	564	180	46	7 016
	6.5	—	—	2	52	336	856	1 077	795	390	140	40	3 688
	7.5	—	—	1	18	132	383	545	452	247	98	30	1 906

表 6.2（续）

		波浪周期/sec											周期总和/sec
		3.5	4.5	5.5	6.5	7.5	8.5	9.5	10.5	11.5	12.5	13.5	
波高 /m	8.5	—	—	—	6	53	172	272	250	150	65	22	990
	9.5	—	—	—	2	22	78	136	137	90	42	15	522
	10.5	—	—	—	1	9	37	70	76	53	26	10	282
	11.5	—	—	—	—	4	18	36	42	32	17	7	156
	12.5	—	—	—	—	2	9	19	24	19	11	4	88
	13.5	—	—	—	—	1	4	10	14	12	7	3	51
	>14.5	—	—	—	—	1	5	13	19	19	13	7	77
波高总和/m		8	326	3 127	12 779	24 880	26 874	18 442	8 949	3 335	1 014	266	100 000

在进行谱分析计算时,根据上面的海浪散布图,针对每一个有义波高每一个周期进行计算,浪向角从 0°～180°计算,0°和 180°出现概率为 1/24,其余各浪向初相概率为 1/12,装载工况按照规范定义的要求,75% 满载工况,25% 压载工况,由不考虑波激振动效应的谱分析计算结果在表 6.4 中选择三个典型位置进行计算,其结果及位置如图 6.42 至图 6.51 所示。

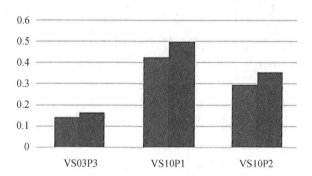

图 6.42　北大西洋海况满载计算结果

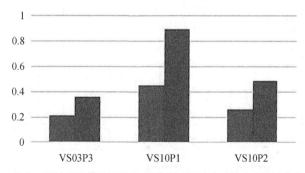

图 6.43　北大西洋海况压载计算结果

表 6.3　全球海浪散布图

波高/m	波浪周期/sec																周期总和/sec
	3.5	4.5	5.5	6.5	7.5	8.5	9.5	10.5	11.5	12.5	13.5	14.5	15.5	16.5	17.5	18.5	总和/sec
0.5	1.3	133.7	865.6	1 186	634.2	186.3	36.9	5.6	0.7	0.1	—	—	—	—	—	—	3 050.4
1.5	—	29.3	986	4 976	7 738	5 569.7	2 375.7	703.5	160.7	30.5	5.1	0.8	0.1	—	—	—	22 575.4
2.5	—	2.2	197.5	2 158.8	6 230	7 449.5	4 860.4	2 066	644.5	160.2	33.7	6.3	1.1	0.2	—	—	23 810.4
3.5	—	0.2	34.9	695.5	3 226.5	5 675	5 099.1	2 838	1 114.1	337.7	84.3	18.2	3.5	0.6	0.1	—	19 127.7
4.5	—	—	6	196.1	1 354.3	3 288.5	3 857.5	2 685.5	1 275.2	455.1	130.9	31.9	6.9	1.3	0.2	—	13 289.4
5.5	—	—	1	51	498.4	1 602.9	2 372.7	2 008.3	1 126	463.6	150.9	41	9.7	2.1	0.4	0.1	8 328.1
6.5	—	—	0.2	12.6	167	690.3	1 257.9	1 268.6	825.9	386.8	140.8	42.2	10.9	2.5	0.5	0.1	4 806.3
7.5	—	—	—	3	52.1	270.1	594.4	703.2	524.9	276.7	111.7	36.7	10.2	2.5	0.6	0.1	2 586.2
8.5	—	—	—	0.7	15.4	97.9	255.9	350.6	296.9	174.6	77.6	27.7	8.4	2.2	0.5	0.1	1 308.5
9.5	—	—	—	0.2	4.3	33.2	101.9	159.9	152.2	99.2	48.3	18.7	6.1	1.7	0.4	0.1	626.2
10.5	—	—	—	—	1.2	10.7	37.9	67.5	71.7	51.5	27.3	11.4	4	1.2	0.3	0.1	284.8
11.5	—	—	—	—	0.3	3.3	13.3	26.6	31.4	24.7	14.2	6.4	2.4	0.7	0.2	0.1	123.6
12.5	—	—	—	—	0.1	1	4.4	9.9	12.8	11	6.8	3.3	1.3	0.4	0.1	—	51.1
13.5	—	—	—	—	—	0.3	1.4	3.5	5	4.6	3.1	1.6	0.7	0.2	0.1	—	20.5
14.5	—	—	—	—	—	0.1	0.4	1.2	1.8	1.8	1.3	0.7	0.3	0.1	—	—	7.7
15.5	—	—	—	—	—	—	0.1	0.4	0.6	0.7	0.5	0.3	0.1	0.1	—	—	2.8
16.5	—	—	—	—	—	—	—	0.1	0.2	0.2	0.2	0.1	0.1	—	—	—	0.9
波高总和/m	1.3	165.4	2 091.2	9 279.9	19 921.8	24 878.8	20 869.9	12 898.4	6 244.6	2 479	836.7	247.3	65.8	15.8	3.4	0.7	100 000

表 6.4　谱分析评估位置

热点编号	北大西洋				全球				评估位置
	波频计算结果		波浪诱导合成结果		波频计算结果		波浪诱导合成结果		
	满载	压载	满载	压载	满载	压载	满载	压载	
VS03P3	0.143	0.210	0.165	0.358	0.143	0.210	0.164	0.315	第二层甲板角隅
VS10P1	0.424	0.451	0.499	0.894	0.384	0.405	0.448	0.648	舱口角隅
VS10P2	0.296	0.259	0.354	0.486	0.296	0.259	0.347	0.384	上甲板角隅

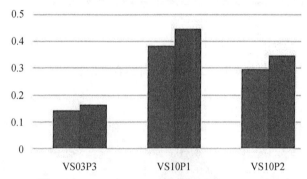

图 6.44　全球海况满载计算结果

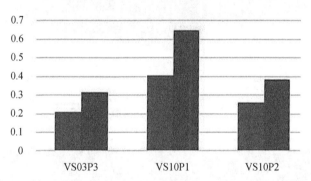

图 6.45　全球海况压载计算结果

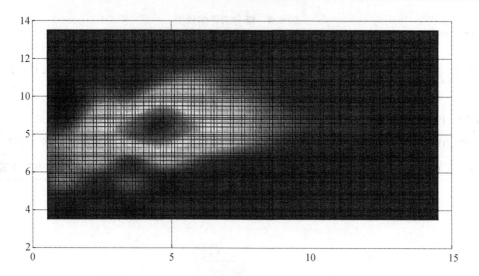

图 6.46　二维北大西洋满载疲劳分布图

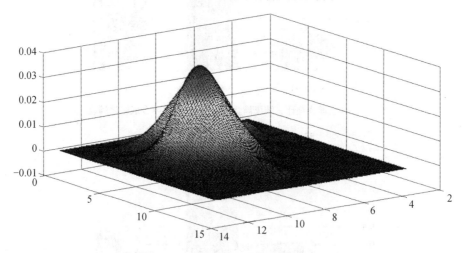

图 6.47　三维北大西洋满载疲劳分布图

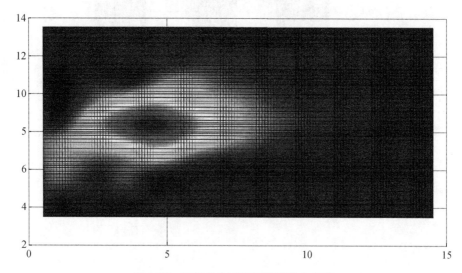

图 6.48　二维北大西洋压载疲劳分布图

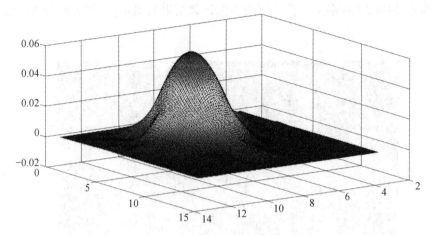

图 6.49 三维北大西洋压载疲劳分布图

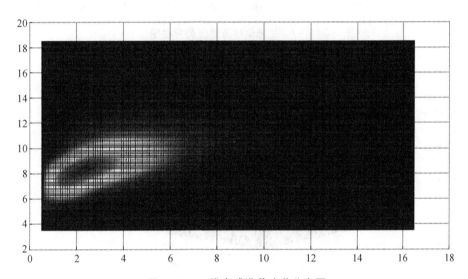

图 6.50 二维全球满载疲劳分布图

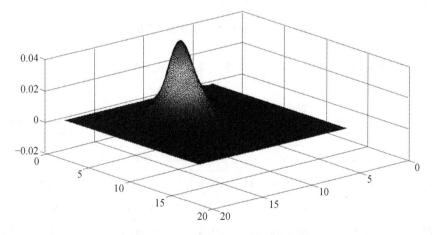

图 6.51 三维全球满载疲劳分布图

舱口角隅处满载和压载的疲劳不同散布图计算结果如图6.52和图6.53所示。

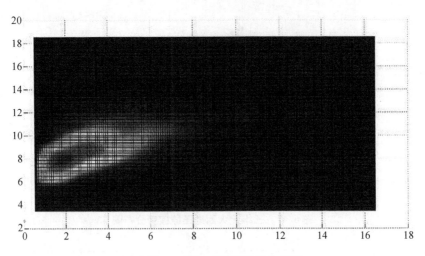

图6.52　二维全球压载疲劳分布图

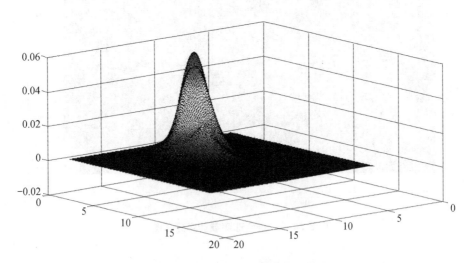

图6.53　三维全球压载疲劳分布图

航行工况概率来合成计算,最终疲劳损伤结果如表6.5所示。

表6.5　波浪诱导振动疲劳贡献率

热点编号	北大西洋			全球		
	满载	压载	合成	满载	压载	合成
VS03P3	13.22%	41.34%	25.03%	12.56%	33.23%	20.63%
VS10P1	15.07%	49.55%	27.96%	14.21%	37.50%	21.79%
VS10P2	16.41%	46.69%	25.91%	14.80%	32.57%	19.59%

6.5　对　比　分　析

从谱分析疲劳损伤计算结果可以看出,长期疲劳损伤与装载工况有着紧密的联系,压载航行时一般疲劳损伤较为严重,通过第 3 章的计算结果已经得出该结论,在考虑到波激振动与颤振的效应后,疲劳损伤会显著增加,满载工况下一般会增加 13% 以上,压载工况波浪诱导载荷引起的疲劳损伤会非常严重,根据北大西洋海浪谱计算结果,会增加超过 40%,全球海况下会增加 30% 以上,合成计算结果也会超过 20%。

Storhaug 通过对一艘 300 m 长的矿砂船进行实船监测发现,在北大西洋海况船舯甲板疲劳损伤有 44% 来源于波浪诱导振动。Storhaug 对一艘 13 000TEU 集装箱船进行了模型实验研究,通过对 19 个海况进行 3 h 的累计记录得到实验结果,发现波激振动和颤振对疲劳损伤的影响达到 65%。

Drummen 以一艘船长为 281 m 的大外飘集装箱船为例进行了分段实验研究,假定生命周期为 20 年,其中 2/3 的时间为迎浪航行时,波浪诱导振动的疲劳损伤贡献率达 40%,砰击引起的吹响波浪弯矩的增加达 35%。

这些结果都与本书的计算结果较为一致,从而可以验证该方法的计算结论具有可靠性。

6.6　结　　　论

本章给出了 Frank 源汇分布法计算原理,并采用线元积分的方法进行了水动力数值计算,在计算船体固有振动频率时采用三维有限元模型进行分析,得到了固有振动频率和振型,在此基础上给出了波激振动计算方法。针对波激振动在迎浪和斜浪航行时的计算流程给出波激振动对称和非对称公式,采用谱分析方法计算了计及波激振动的疲劳损伤。

第7章 结 论

大型集装箱船的大型化发展趋势使得该类船舶尺度逐年增加,随之而来的是船舶固有振动频率降低,当固有振动频率与船舶航行时的波浪遭遇频率接近时,船体会与波浪产生波激振动,同时大外飘和平底的设计也导致该类船舶在航行时发生较严重的砰击现象,砰击作用会使得船舶产生瞬时颤振,这种高频颤振和波激振动对船舶结构的疲劳损伤有很大影响,而这两种现象在极端海况下又很难区分。本书基于振动的基本理论和船舶在波浪中航行的势流理论进行计算,砰击和波激振动的计算采用二维方法进行预报,采用谱分析方法计算了疲劳损伤,并给出了波激振动和颤振对疲劳损伤的贡献率,通过以上各部分的计算得出如下结论:

(1)从采用直接计算方法得到的疲劳损伤结果看,压载工况疲劳损伤普遍高于满载工况,迎浪和随浪航行时疲劳损伤会较大,船舯区域的疲劳损伤较为严重。设计波法计算结果显示,评估位置均达到要求,疲劳寿命高于40年,只有船舯舱口角隅处疲劳寿命39.2年,疲劳损伤较为严重。谱分析计算结果显示,疲劳损伤较为严重的区域是舱口角隅和二甲板角隅处。

(2)基于ABS规范计算砰击载荷,砰击压力系数的计算是在势流理论的基础上采用边界元法来实现,这样砰击压力就可以加载到有限元模型上,从而进行了屈服和屈曲强度的评估,根据计算结果给出了具体不满足要求的评估位置,并提出了修改意见。按照ABS规范进行颤振计算时,以砰击计算结果为基础,相对加速度计算位置取为1/20船长处,在发生外飘砰击时计算颤振效应,从计算结果看,颤振引起的弯矩变化在25%左右,中拱弯矩增加25.5%,中垂弯矩增加23.4%,剪切应力增加23.8%,所以颤振引起的弯矩变化不可忽略,同时由颤振引起的疲劳损伤增加也达到22%~25%。波激振动计算包含三个浪向:180°迎浪、165°迎浪和150°迎浪。根据不同浪向做了应力响应标准化计算,给出了计算结果,针对每一工况、海况、航速及浪向进行短期疲劳损伤预报,采用三种方法计算三个浪向的疲劳损伤,结果显示,每个浪向的疲劳损伤均达到总疲劳损伤的20%左右,总损伤也在60%左右。

(3)利用三维Rankine源分步法进行了水动力计算,砰击分别采用扩展的瓦格纳方法和改进的Logvinovich方法进行计算,通过压力积分求解砰击载荷。根据集装箱船的特点在计算底部砰击时考虑到了气垫效应,在时域计算时给出了砰击计算结果,对比分析了瓦格纳方法和Logvinovich方法的差异,在可能产生气垫效应的剖面上分析了气垫效应的影响,以船体第16、17站为例进行计算,当底部升角小于3°时,把该部分看作平板入水进行计算,线元在此处进行截断分割,在考虑到气垫效应的计算结果与利用瓦格纳方法计算结果进行对比,考虑气垫效应的砰击作用力明显要比瓦格纳方法计算的结果要小,这主要是因为气垫的存在导致的,虽然气垫效应在某些砰击切片计算上影响较大,但是计算船体首部砰击时总的压力积分结果不会差别很大,这是因为艏部涉及气垫效应的部分很少,只有到了第17站开始计算才会有部分区域出现气垫效应。在砰击计算的基础上利用全船三维有限元模型进行了砰击强度校核,包括局部结构强度的评估和总纵强度的评估两部分,局部结构强度分析后给出了需要改进的位置和改进的方案,总纵强度分析发现各部分都满足船级社的规范要求。

(4)采用耐波性和砰击直接耦合方法与非耦合方法进行计算,结果显示,即使对于刚体计算结果来说,两种方法的计算结果也会有很大差别,直接耦合方法计算的结果会较小。其原因为,直接耦合方法的计算考虑到了由于砰击作用导致的刚体位移,即使该位移的差别很小,但是对其计算结果却影响很大,因为该结果的变化是与相对速度的平方成比例的。而对于弹性体,该影响会进一步增大,这也就可以看出水弹性的影响对于直接耦合方法的影响。

(5)颤振的幅值是通过将总的砰击脉冲传递到耐波性计算程序中得到的,该值在时间步长小于0.2 s时基本不会受到太大影响,而时间步长在0.3 s和0.4 s时,计算的结果会略小,这是因为峰值点被忽略造成的。所以在时域计算时为了消除时间步长带来的差异,选择0.1 s作为时间步长来计算。同时采用GWM和MLM方法计算砰击,可以看出采用MLM方法得到的计算结果要比GWM小很多,其原因是前一种方法在计算砰击时要求切片为不尖锐的切片,而船首部分有些切片较为尖锐,尤其是在球鼻艏上方,该部分的计算会使得两种方法的计算结果差异较大。

(6)采用全船有限元模型来计算船体结构固有振动频率,计算包括干模态振动和湿模态振动。湿模态计算时考虑到附连水质量,计算前要确定船体湿表面单元,利用Helmholtz方法即源汇法求解流体运动的拉普拉斯公式得到垂向、扭转和水平振动模态和频率,结果显示,满载固有振动频率更低,湿模态振动频率低于干模态振动频率。

(7)波激振动对称响应计算时,航速的增加使得主值坐标变大,p_0在船长与波长相等时会出现一个小的波峰,p_1的峰值都出现在$L/\lambda = 1$区域附近,p_2的计算结果可以看出航速增加会导致在$L/\lambda = 1$左右出现两个峰值。从船舯弯矩变化可以看出,在弯矩计算上主值坐标p_2起到主要作用,垂向弯矩计算结果变化趋势与p_2的变化较为一致。主值坐标p_2、p_3和p_4出现峰值的坐标点分别在$\omega_e = 0.534$,$\omega_e = 0.984$和$\omega_e = 1.511$,这三个点与全船有限元计算的船体湿模态固有振动频率极其接近,从而可以判断出波激振动出现在遭遇频率与船体湿固有振动频率接近时,这也就印证了波激振动产生的机理。

(8)船舶在斜浪中航行时进行反对称波激振动响应计算,在计算疲劳损伤时假定船舶在0°~360°航行,每15°为一个步长,每个浪向均匀分布,考虑到船体对称性,在0°~180°的范围内进行计算。从计算结果可以看出,波激振动反对称响应仍然出现在湿固有振动频率的附近,但随着浪向角的变化其共振幅值会有所变化,浪向角增大时弯矩响应逐渐从一阶转化到二阶、三阶,当浪向角达到120°时二阶谐振起主要作用,浪向角105°时一阶共振已经被弱化,而到横浪航行时三阶振动开始增强。

(9)根据谱分析计算原理分析波激振动及砰击引起的高频颤振对疲劳损伤产生的影响,首先采用谱分析法计算波激振动及颤振引起的弯矩对船体结构疲劳损伤的影响,以此为计算基础进行长期分析,对不同浪向、海况及装载状态对振动引起的疲劳损伤的影响进行分析。从计算结果可以看出,疲劳较为严重的海况主要集中在周期为8.5 s,波高为4.5 m的范围内,其原因为在该范围的波浪中航行时船体波激振动较严重,同时该部分的概率分布也占较大份额,从而导致海浪谱该区域的疲劳损伤较为突出。

(10)长期疲劳损伤与装载工况有着紧密的联系,压载航行时一般疲劳损伤较为严重,在考虑到波激振动与颤振的效应后,疲劳损伤会显著增加。满载工况下一般会增加13%以上,压载工况波浪诱导载荷引起的疲劳损伤会非常严重,根据北大西洋海浪谱计算结果来看会增加 40% 以上,全球海况下会增加 30% 以上,合成计算结果也会超过 20%,所以对于大小集装箱船来说,波浪诱导振动引起的疲劳损伤非常严重。

本书中还有一些工作需要进行进一步研究:极端海况下,采用切片法计算时切片与波浪有倾角对计算结果产生的影响分析;切片细密程度的差异对结果的影响分析,从而找到提高计算精度的切片分布方法;砰击计算时,球鼻艏的处理需要采用多种计算方法进行对比分析;波激振动计算时,采用三维水弹性方法计算,并与二维切片法进行对比分析;大型集装箱船水弹性实验研究,实验结果与理论预报结果对比分析。以上一些内容在今后的工作中将会开展深入的研究。

本书取得的创新性研究成果如下。

本书以大型集装箱船为例,对船舶结构疲劳强度进行研究,与以往的疲劳损伤评估方法不同,文中在常规疲劳强度评估的基础上考虑了波激振动效应的影响,给出了计及波激振动效应的大型集装箱船疲劳强度评估的系统流程,在研究过程中给出了如下一些创新性成果:

(1)根据大型集装箱船的结构设计特点,基于疲劳强度谱分析方法提出了计及波激振动和颤振效应的计算方法,分析了波激振动和颤振对疲劳强度的影响。

(2)对比程序直接计算与规范计算的结果差异,分析了结果差异原因,并提出了改进方法,并在理论上对低阻尼系统修正提出解决方案。

(3)根据集装箱船首部结构特点,在进行砰击计算时考虑了气垫效应,提出了在压力积分计算时考虑气垫效应的数值计算方法,并根据计算结果进行了对比分析。

(4)利用对称振动和反对称振动公式中的主值坐标变化规律来分析波激振动产生的机理。

参 考 文 献

［1］DRUMMEN I, STORHAUG G, MOAN T. Experimental and numerical investigation of fatigue damage due to wave – induced vibrations in a containership in headseas［J］. Journal of Marine Science and Technology, 2008, 13:428 – 445.

［2］HIRDARIS, SE, TEMAREL P. Hydroelasticity of ships: recent advances and future trends ［J］. Journal of Engineering for the Maritime Environment, 2009, 223(3):305 – 330.

［3］KIM Y, KIM J H. Whipping identification of a flexible ship using wavelet cross-correlation ［J］. Ocean Engineering, 2013, 74:90 – 100.

［4］STORJAIG G, VIDIC PERUNOVIC J, RUDINGER F, et al. Springing/whipping response of a large ocean going vessel—a comparison between numerical simulations and full scale measurements［J］. Proceedings of Hydroelas-ticity in Marine Technology, 2003, 1:117 – 129.

［5］MOE E, HOLTSMARK G, STORHAUG G. Full scale measurements of the wave induced hull girder vibrations of an ore carrier trading in the North Atlantic［C］. London: RINA, 2005.

［6］FALTINSEN O. Numerical prediction of ship motions at high forward speed［J］. Phil Trans R Soc London Ser A, 1991, 334:241 – 252.

［7］NEWMAN J N. Algorithms for the free – surface green function［J］. Journal of Engineering Mathematics, 1985, 19(1):57 – 67.

［8］TELSTE J G, NOBLESSE F. Numerical evaluation of the Green function of water – wave radiation and diffraction［J］. Journal of Ship Research, 1986, 30(2):69 – 84.

［9］HOWISON S D. Incompressible water – entry problems at small deadrise angles［J］. Journal of Fluid Mechanics, 1991, 222(222):215 – 230.

［10］BISPLINGHOFF R L, DOHERTY C S. Some studies of the impact of vee wedges on a water surface［J］. Journal of the Franklin Institute, 1952, 253(6):547 – 561.

［11］ZHAO R, FALTINSEN O. Water entry of two – dimensional bodies［J］. Journal of Fluid Mechanics, 1993, 246(1):593 – 612.

［12］卢炽华, 王刚. 船体砰击问题的非线性边界元分析［J］. 水动力学研究与进展, 1999, 14(2):169 – 175.

［13］FALTINSEN O M. Water entry of a wedge by hydroelastic orthotropic plate theory［J］. Journal of Ship Research, 1999, 43(3):180 – 193.

［14］GHOSH A K, CHAUDHURI B K. A flat cylinder theory for vessel impact and steady planing resistance［J］. Journal of Ship Research, 1996, 40(2):89 – 106.

［15］KOROBKIN. Analytical models of water impact［J］. European Journal of Applied Mathematics, 2004, 15(6):821 – 838.

［16］秦洪德, 赵林岳, 申静. 基于改进的 Logvinovich 法对带横摇运动非对称楔形体入水砰击力的计算(英文)［J］. Journal of Marine Science and Application, 2011(2):184 – 189.

[17] TASSIN A, PIRO D J, KOROBKIN A A, et al. Two-dimensional water entry and exit of a body whose shape varies in time [J]. Journal of Fluids & Structures, 2013, 40 (7):317 – 336.

[18] SCOLAN Y M, KOROBKIN A A. Three-dimensional theory of water impact. [J]. Journal of Fluid Mechanics, 2001(440):293 – 326.

[19] TASSIN A, JACQUES N, ALAOUI A E M, et al. Hydrodynamic loads during water impact of three-dimensional solids: modelling and experiments[J]. Journal of Fluids & Structures, 2012, 28(1):211 – 231.

[20] SCOLAN Y M. Hydroelastic behaviour of a conical shell impacting on a quiescent-free surface of an incompressible liquid [J]. Journal of Sound & Vibration, 2004, 277 (1):163 – 203.

[21] KHABAKHPASHEVA T I, KOROBKIN A A, MALENICA S. Fluid impact onto a corrugated panel with trapped gas cavity[J]. Applied Ocean Research, 2013, 39(1):97 – 112.

[22] SEMENOV Y A, YOON B S. Onset of flow separation for the oblique water impact of a wedge[J]. Physics of Fluids, 2009, 21(11):279.

[23] KOROBKIN A A. Two-dimensional problem of the impact of a vertical wall on a layer of a partially aerated liquid[J]. Journal of Applied Mechanics & Technical Physics, 2006, 47 (5):643 – 653.

[24] CHUANG S L. Experiments on flat-bottom slamming[J]. Journal of Ship Research, 1966, 10(1):10 – 17.

[25] HELLER S R, ABRAMSON H N. Hydroelasticity: a new naval science [J]. Naval Engineers Journal, 2010, 71(2):205 – 209.

[26] ACHTARIDES T A. Wave – excited two – node vertical resonant vibration (springing) of flexible ships [J]. Ocean Energy, 1979, 15: 190 – 199.

[27] JENSEN J J, DOGLIANI M. Wave – induced ship full vibrations in stochastic seaways[J]. Marine Structures, 1996, 9(3 – 4):353 – 387.

[28] JENSEN J J. Stochastic procedures for extreme wave load predictions—wave bending moment in ships[J]. Marine Structures, 2009, 22(2):194 – 208.

[29] SARKAR T, MUKOPADHYAY M. A new approach to the analysis of springing of ships [J]. International Shipbuilding Progress, 1995, 42(430): 109 – 131.

[30] GU X K, SHEN J W, MOAN T. Experimental and theoretical investigation of higher order harmonic components of nonlinear bending moments of ships [J]. Journal of Ship Technology Research, 2000(4): 143 – 154.

[31] TONGEREN M V. Analysis of springing of large ships by a rankine panel method [D]. Delft: Delft University of Technology, 2002.

[32] WU M K, MOAN T. Sensitivity of extreme hydroelastic load effects to changes in ship hull stiffness and structural damping[J]. Ocean Engineering, 2007, 34(11):1745 – 1756.

[33] DE JONG B. Some aspects of ship motions in irregular beam and longitudinal waves. [J]. Environmental Pollution, 1970, 96(1):1 – 11.

[34] RICE S O. Mathematical analysis of random noise[J]. Bell Labs Technical Journal, 2013, 24(1):46 – 156.

[35] HURTY W C, RUBINSTEIN M F. Dynamics of structures [J]. Journal of Applied Mechanics, 2014, 44(2):366.

[36] TIMOSHENKO P S P, LXVI. On the correction for shear of the differential equation for transverse vibrations of prismatic bars[J]. Philosophical, 1921, 41(245):744 – 746.

[37] 冯国庆. 船舶结构疲劳强度评估方法研究[D]. 哈尔滨:哈尔滨工程大学, 2006.

[38] GU X, MOAN T. Long – term fatigue damage of ship structures under nonlinear wave loads [J]. Marine Technology, 2002, 39(2):95 – 104.

[39] LI Z, RINGSBERG J W, STORHAUG G. Time – domain fatigue assessment of ship side – shell structures[J]. International Journal of Fatigue, 2013, 55(1):276 – 290.

[40] ZHI YUAN LI, RINGSBERG J. Fatigue routing of container ships assessment of contributions to fatigue damage from wave – induced torsion and horizontal and vertical bending[J]. Ships & Offshore Structures, 2012, 7(2):119 – 131.

[41] KUKKANEN T, MIKKOLA T P J. Fatigue assessment by spectral approach for the ISSC comparative study of the hatch cover bearing pad[J]. Marine Structures, 2004, 17(1):75 – 90.

[42] XUE J, PITTALUGA A, CERVETTO D. Fatigue damage calculation for oil tanker and container ship structures[J]. Marine Structures, 1994, 7(6):499 – 535.

[43] WANG Y. Spectral fatigue analysis of a ship structural detail—a practical case study[J]. International Journal of Fatigue, 2010, 32(2):310 – 317.

[44] HOGBEN N, DA CUNHA LF, OLLIVER NH. Global wave statistics[M]. London: Brown Union Publication, 1986.

[45] BITNER – GREGERSEN E M, CRAMER E H, L SETH R. Uncertainties of load characteristics and fatigue damage of ship structures[J]. Marine Structures, 1993, 8(2): 97 – 117.

[46] BITNERGREGERSEN E, BONICEL D, HAJJI H, et al. World – wide characteristics of hs and tz for long – term load responses of ships and offshore structures [J]. International Journal of Information Management, 1996, 14(4):310 – 311.

[47] WINTERSTEIN S R. Nonlinear vibration models for extremes and fatigue[J]. Journal of Engineering Mechanics, 1988, 114(10):1772 – 1790.

[48] WIRSCHING P H, LIGHT M C. Fatigue under wide band random stress[J]. Journal of Engineering Materials & Technology, 1977, 99(99):1593 – 1607.

[49] RICE S O. Mathematical analysis of random noise[J]. Bell Labs Technical Journal, 2013, 24(1):46 – 156.

[50] BENASCIUTTI D, TOVO R. Spectral methods for lifetime prediction under wide – band stationary random processes [J]. International Journal of Fatigue, 2005, 27(8):867 – 877.

[51] BENNETT S S, HUDSON D A, TEMARel P. Global wave – induced loads in abnormal waves: Comparison between experimental results and classification society rules [J].

Journal of Fluids & Structures, 2014, 49(8):498 – 515.

[52] 戴仰山,沈进威,宋竞正.船舶波浪载荷[M].北京:国防工业出版社,2007.

[53] NEWMAN J N. Wave effects on deformable bodies[J]. Applied Ocean Research, 1994, 16(1):47 – 59.

[54] 李辉. 船舶波浪载荷的三维水弹性分析方法研究[D].哈尔滨:哈尔滨工程大学, 2009.

[55] 蔡山,张浩,陈洪辉,等. 基于最小二乘法的分段三次曲线拟合方法研究[J].科学技术与工程, 2007, 7(3):352 – 355.

[56] 张健,尤恽,王珂,等. 基于气垫效应的二维楔形体入水砰击载荷预报方法研究[J]. 舰船科学技术, 2016, 38(3):7 – 12.

[57] 陈震,肖熙. 平底结构砰击压力的分布[J].中国造船, 2005, 46(4):97 – 103.

[58] 陈震,肖熙. 空气垫在平底结构入水砰击中作用的仿真分析[J].上海交通大学学报, 2005, 39(5):670 – 673.

[59] 曹正林. 高速三体船砰击强度研究[D].武汉:武汉理工大学, 2008.

[60] American Bureau of Shipping. Slamming Loads And Strength Assessment For Vessels [S]. Houston:ABS, 2014.

[61] 冯国庆,刘相春,任慧龙. 基于 PCL 语言的波浪压力自动加载方法[J].船舶力学, 2006,5:107 – 112.